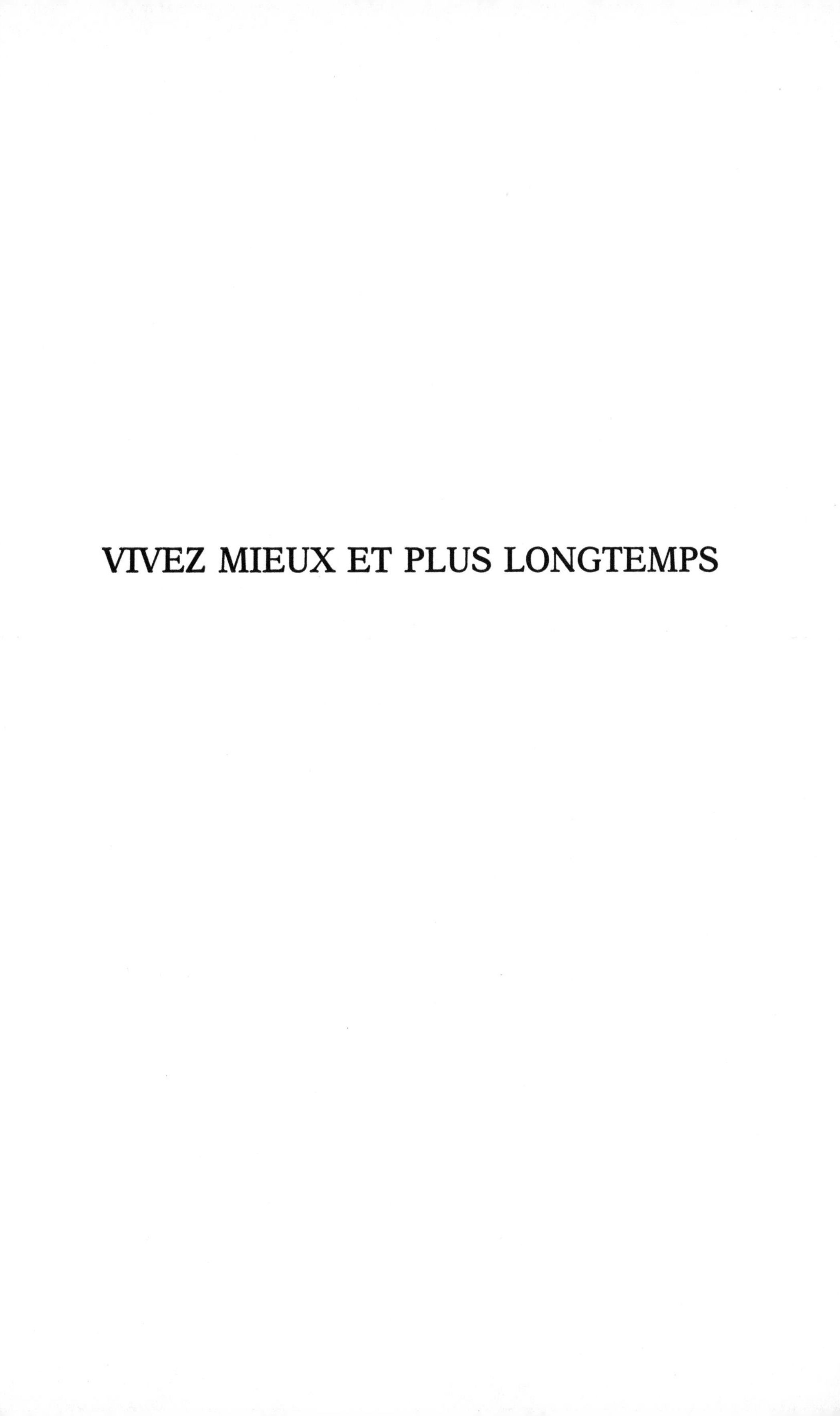

VIVEZ MIEUX ET PLUS LONGTEMPS

DU MÊME AUTEUR

Hippocrate aux enfers, Stock, 2015

Michel Cymes

avec la collaboration de Patrice Romedenne

VIVEZ MIEUX ET PLUS LONGTEMPS

Stock

Couverture François Supiot
Photo de couverture : © Lucien Delorme

ISBN 978-2-234-08092-8

Un jour, je suis tombé sur une citation anglaise qui disait en substance que le plus pauvre des pauvres n'échangerait pour rien au monde sa bonne santé pour de l'argent mais qu'en revanche, le plus riche des riches abandonnerait volontiers son magot contre une santé retrouvée. Je suis assez d'accord avec ça. Rien ne saurait mieux nous convaincre que la santé est un don d'une valeur inestimable. C'est, pour plagier la jolie formule de Pierre Chauvot de Beauchêne, le médecin du roi Charles X, « le trésor le plus précieux, le plus facile à perdre et, paradoxalement, le plus mal gardé ».

Personne n'échappe à son patrimoine génétique. Personne n'échappe non plus à son éducation. Mais nous sommes tous responsables de ce que nous décidons de faire de l'un comme de l'autre. Et s'il n'est pas question pour moi de vous promettre l'éternité, je puis vous assurer qu'il suffit de peu de chose pour passer d'une existence gâchée par les mauvaises habitudes à une existence magnifiée par les bonnes.

Car le corps aime les habitudes. Et il se satisfera toujours de celles que vous lui donnez. Donnez-lui-en de bonnes, il les adoptera volontiers. Donnez-lui-en de mauvaises, il s'y installera avec la même docilité. Le corps est un peu un enfant. Bien traité, il vous remboursera au centuple. Mal traité, il vous présentera la facture. En matière de santé comme dans la vie, on finit toujours par récolter ce que l'on sème.

Je rougirais presque de la banalité de tels propos si, depuis que j'ai prêté le serment d'Hippocrate, il y a maintenant plus de trois décennies, il ne m'était pas donné d'observer au quotidien que nous sommes majoritairement de piètres gardiens de notre santé.

Nous avons tendance à croire que la santé est un dû, une chose acquise pour l'éternité. Mais ça, c'est la version bisounours de la vie. En réalité, la santé est un capital qu'il importe de faire fructifier ou, soyons réalistes, qu'il convient de chérir en permanence pour qu'il ne se dilapide pas. En tout cas pas trop vite... Car ce capital a tendance à s'éroder, sournoisement, de jour en jour. Si l'on ne le respecte pas, il se venge en silence.

Je suis comme vous. J'aime glander dans mon canapé et céder au confort d'une petite flemme. Remettre au lendemain la séance de sport prévue le jour même. Oui, je suis comme vous : je ne déteste pas les sucreries et adore boire un bon coup. Comme vous, je sais qu'il vaut mieux croquer dans un fruit que s'envoyer une tartine de Nutella. Mais puis-je jurer n'avoir jamais succombé à la tentation gourmande ? Évidemment non. Comme vous, j'ai bien compris qu'un légume cru sera toujours meilleur qu'une poignée de cacahuètes. Et pourtant, comme vous, à l'heure de l'apéro ou lors d'une fête, l'alcool aidant, je pioche, ici une tranche de saucisson, là une pistache, parce que j'ai pris l'habitude de les associer aux moments agréables et à la convivialité. Et mon corps s'est laissé faire.

Un jour, un enfant m'a posé la question : Pourquoi tout ce qui est bon est mauvais pour la santé ? Devant mon air ahuri, je crois me souvenir qu'il a fui. Mais ça m'a fait réfléchir et me poser d'autres questions : Que faire ? Comment rester vigilant tout en continuant à se faire plaisir ?

J'ai laissé tomber mon air ahuri et j'ai décidé de répondre. C'est à cela que doit servir ce livre. Il n'a pas été écrit pour réveiller votre parano mais pour vous rappeler quelques principes vertueux. Il se présente sous forme de textes plus ou moins courts regroupés en quatre chapitres.

– Le premier chapitre concerne les aliments, parfois oubliés, bons pour la santé. Je ne me contenterai pas de vous les conseiller : je vous dirai pourquoi vous devez les consommer et en quoi ils sont bénéfiques à votre organisme. Je ne vous dirai pas seulement qu'il faut manger des clémentines, je vous expliquerai les raisons pour lesquelles il faut le faire, au grand bénéfice de votre forme physique mais aussi mentale... Et je parie que quand vous en verrez une, de clémentine, sur un étal ou dans une corbeille de fruits, vous penserez à ce que vous avez lu et vous céderez à la tentation. En ayant conscience que vous vous faites du bien. Et se faire du bien, c'est toujours agréable, donc valorisant. Pareil pour les légumes. La liste de mes envies est subjective, non exhaustive. Elle pourrait être différente. Elle traduit mes préférences, mes priorités, mes découvertes, et ne contient que du bon.

– Le deuxième chapitre porte sur ces petites habitudes néfastes ou bonnes pour notre bien-être. La différence tient à si peu de chose... Ne pas manger n'importe quoi après une gueule de bois... Ne pas tomber dans le panneau des crèmes hydratantes hors de prix... Ou encore savoir s'asseoir correctement : c'est idiot, mais, si vous n'êtes pas dans la bonne position, vous croyez vous reposer alors que vous faites un effort permanent dont votre dos saura se souvenir... Ah, le mal de dos ! Il fait des ravages. Il devrait être mis au débit de l'insécurité routière. Prenez deux personnes qui font 500 kilomètres en voiture, l'une en étant mal assise, l'autre en étant bien assise. Sauf accident, elles arriveront toutes deux au même endroit. Et dans le même temps. Mais pas dans le même état. Dans les jours suivants, celle qui avait une mauvaise position ne se sentira pas bien. Contractures, douleurs dorsales... Elles pourront être fortes. Ou légères. Auquel cas elle n'y prêtera pas attention. Donc elle recommencera : 500 bornes retour dans la même mauvaise position ! Et les choses finiront par se dégrader. Tout ça pour quelques heures pendant lesquelles elle aura pris l'habitude d'accomplir le mauvais geste. Alors que le bon geste ne coûte rien à qui veut bien se donner la peine de le faire. Comptez sur moi pour vous dire comment vous installer comme il se doit au volant ! Ou comment vous asseoir correctement. Ou comment vous tenir debout sans esquinter votre colonne vertébrale. Et tant d'autres conseils... Souvent, vous vous direz : « Mais oui, c'est évident ! » J'aurai alors joué mon rôle d'alerte. Recenser les bons et les mauvais réflexes, y penser, c'est déjà agir...

– Le troisième chapitre s'adresse au sportif ou à la sportive qui sommeille en chacun de nous : il vous donnera envie de bouger un peu plus que vous ne le faites. Les études sur les rapports que les Français entretiennent avec le sport sont souvent contradictoires mais rarement rassurantes... S'il ne fallait en retenir qu'une, ce serait celle de l'Eurobaromètre (décidément, l'Union européenne se mêle de tout), qui conclut que moins d'une personne sur deux fait du sport au moins une fois par semaine (2014). C'est insuffisant ! Pourtant, point n'est besoin de se revendiquer sportif pour faire l'exercice minimum dont tout organisme a besoin. Vous verrez qu'on peut se dépenser sans s'en rendre compte. J'attirerai votre attention sur quelques sports auxquels vous n'avez pas pensé mais qui rallient de plus en plus de suffrages. Et j'enrichirai le discours d'une kyrielle de conseils également valables pour celles et ceux qui pratiquent régulièrement. Je piétinerai quelques idées reçues (oui, on évite le café avant une séance de sport ; non, on n'achète pas une paire de baskets sans réfléchir) et je répondrai aux questions (alimentation, effort, récupération) dont je sais que vous vous les posez ainsi qu'aux questions que vous ne vous posez pas mais dont vous vous direz que vous auriez dû vous les poser !

– Le quatrième et dernier chapitre regroupe une multitude de conseils utiles pour conserver la forme. Ce que j'appelle *Les petits riens qui font du bien à long terme*, ces trucs auxquels on peut ne consacrer que quelques minutes par jour, que l'on peut parfois faire tout en vacant à ses occupations mais qui, mis bout à bout, vous font vous sentir bien, vous font aimer la vie et en rallongent la durée. Vous allez apprendre à entretenir votre mémoire, prendre soin de votre cœur, prévenir la constipation, découvrir que l'on peut dormir au bureau et comprendre une bonne fois pour toutes comment le tabac et l'alcool prennent possession de votre cerveau si vous les laissez faire. Entre autres choses...

Notre santé a trop tendance à s'égarer dans des régimes draconiens, des attitudes contraignantes, des ordonnances sans fin et des pharmacies individuelles qui dégueulent, alors qu'elle a juste besoin d'un peu de bon sens. Voilà pourquoi ce livre, qui mûrit de longue date, est fait de textes courts, parfois très courts, mais toujours précis, utiles. Peut-être le lirez-vous d'une traite, mais vous y reviendrez à coup sûr pour picorer, tant il regorge de conseils pratiques pouvant être suivis immédiatement. Je l'ai voulu et conçu dans un style décontracté, parce que c'est ma façon d'être et que ça n'ôte rien au contenu, au sérieux, à la pertinence. Et, convaincu que le rire et le sourire sont sources d'énergie et de bonheur à l'inverse de la dramatisation qui est contre-productive, je n'ai pu m'empêcher de le parsemer de quelques traits d'humour. Désolé, je fonctionne comme ça et je ne changerai pas, tant vous avez eu, à de nombreuses reprises, la gentillesse et la bienveillance de me dire que vous vous en accommodiez plutôt bien !

Vous me connaissez : je préfère convaincre que sermonner, séduire que menacer, informer qu'effrayer. Je considère qu'il n'y a pas d'âge pour commencer. Pas d'âge pour se prendre en charge. Pas d'âge pour se faire du bien. Pas d'âge pour prendre ou reprendre sa santé en main. Pas d'âge pour se dire que non, décidément, les carottes ne sont jamais cuites !

I

Les aliments bons pour la santé

Les principes du « bien manger »

Je le répète à longueur de temps : il faut s'alimenter sainement. Mais que recouvre cette notion ? Quels sont les principes de base à observer pour « bien manger » ? Qu'est-ce qui peut faire de vous une personne en forme ? Voici cinq principes simples dont vous ressentirez rapidement les bienfaits si vous les observez.

1. Équilibrez vos repas.

Ils doivent bien sûr contenir des glucides : vous en trouverez dans les céréales, complètes de préférence. Ils doivent également contenir des protéines : pensez aux lentilles, aux fèves, aux pois chiches mais aussi aux poissons et aux viandes, blanches de préférence. Quant aux lipides, il convient de les choisir avec soin : ceux contenus dans les noix ou l'huile d'olive vous feront le plus grand bien.

Pour rappel, grosso modo, les glucides, ce sont les sucres, et les lipides, ce sont les matières grasses.

2. Variez votre alimentation.

Lorsque vous prenez des produits céréaliers, évitez de manger toujours les mêmes. Il n'y a pas que le riz et les pâtes dans la vie... Il y a aussi les craquelins de seigle, la farine de kamut, la semoule de maïs, les céréales de quinoa... Un peu de créativité ne nuit pas.

3. Privilégiez la fraîcheur et la bonne qualité.

Les produits de boulangerie industrielle et les plats préparés congelés sont certes pratiques, parfois même agréables au palais, mais pas forcément excellents pour votre forme. Il ne s'agit pas de les interdire, mais d'en consommer à dose homéopathique...

4. Soyez raisonnable.

On a parfois tendance à se resservir sans raison, à manger sans avoir vraiment faim. C'est le meilleur moyen de s'éloigner de son poids de forme... Réduisez donc les quantités. Et si, pour des raisons psychologiques, vous avez besoin d'avoir une assiette bien pleine devant vous, procédez à des ajustements malins : réduisez les portions d'aliments élevés en calories (les pâtes, le riz...) et augmentez les portions d'aliments faibles en calories (légumes). J'en connais même, des plus futés, qui ne mangent que dans de petites assiettes : ils ont la satisfaction de les voir pleines quand ils se mettent à table.

5. Pensez aux saveurs.

Manger doit rester un plaisir. Les rois de l'alimentation industrielle l'ont compris et nous piègent avec des plats dont la teneur en sel, en sucres et en graisses est hélas ! trop élevée. Mais il est possible d'avoir une alimentation savoureuse sans pour autant s'esquinter la santé. Il suffit, pour ce faire, d'opter pour des aliments frais et de miser sur les fines herbes. Il en existe pléthore qui, pour ne rien gâcher, regorgent d'aliments nutritifs.

L'ail, un super-aliment

Aïe ! Et ail !

Ne pas confondre... « Aïe », ça fait mal. « Ail », ça fait du bien.

Du latin *allium sativum*, l'ail doit être le bienvenu dans nos assiettes, qu'elles soient chaudes ou froides, qu'elles contiennent de la viande, de la salade, de la soupe ou des pâtes. Consommé frais, cuit ou cru (cru, c'est mieux, car ses propriétés sont supérieures), l'ail a un effet protecteur contre le cancer de l'estomac et le cancer de l'intestin. De plus, même si les études sont encore insuffisantes sur le sujet, on soupçonne ce super-aliment de vouloir le plus grand bien à votre larynx et à vos seins, Mesdames, ainsi qu'à votre prostate, Messieurs (selon une étude réalisée par l'Institut du cancer de Shanghai).

Vous avez donc tout intérêt à en consommer, d'autant que les effets de l'ail ne s'arrêtent pas là : il aide à lutter contre les maladies cardiovasculaires, contre le vieillissement (forcément, il contient des antioxydants) et il est supposé prévenir tout un tas d'infections.

Bien sûr, vous lirez ici et là que Shakespeare considérait que l'ail n'est pas un aliment noble ou que Cervantès n'en appréciait pas l'odeur. Mais l'un comme l'autre, vous en conviendrez, étaient meilleurs en littérature qu'en santé... Ne leur en déplaise, une consommation régulière de cette plante à bulbes vous fera le plus grand bien. Quant à la fameuse odeur qui incommodait Cervantès, figurez-vous qu'elle se gère. Non pas en se brossant les dents (comme beaucoup de personnes le croient) après en avoir mangé, mais en mâchant du persil, de la menthe ou des grains de café. Encore plus efficace : en obligeant votre entourage à manger de l'ail en même temps que vous !

Les **antioxydants** constituent une sorte de bouclier contre les radicaux libres. Il faut savoir que chacune de nos cellules (l'organisme humain en compte des milliards) respire. Ce faisant, elle produit des dérivés de l'oxygène que l'on appelle les radicaux libres, lesquels ont une cible favorite : nos cellules. Ils les « oxydent », accentuant leur vieillissement, donc le nôtre. Pour lutter contre ce phénomène, l'organisme a besoin d'antioxydants. D'où l'injonction quotidienne de manger, entre autres bonnes choses, des fruits et des légumes, puisqu'ils en contiennent à foison.

L'indispensable germe de blé

La vitamine E, sachez-le, est un puissant antioxydant. Comprenez qu'elle protège vos cellules contre le vieillissement. Mais, comme tout le monde, vous vous demandez parfois où la trouver. La réponse est simple : dans le germe de blé. Pas que là, certes, mais aussi là... Jugez plutôt : il vous suffit d'avaler l'équivalent de deux cuillerées à soupe de germe de blé pour couvrir le tiers de vos besoins quotidiens en vitamine E. Ce serait dommage de s'en passer, non ? D'autant que sa capacité à vous protéger ne s'arrête pas là : dans ces deux fameuses cuillerées, vous trouverez aussi le tiers de vos besoins en zinc (il contribue à vous protéger contre les infections et vous aide à cicatriser en cas de besoin) et le quart de vos besoins en magnésium (qui fait partie des minéraux antistress et antifatigue). Attendez, ce n'est pas fini : le germe de blé est aussi recommandé contre le cholestérol et il est bon pour la santé de votre rétine. Du coup, vous le voyez d'un autre œil et il ne vous reste plus qu'à vous demander comment le consommer.

Un impératif : ne pas le chauffer. Cela dégraderait ses vitamines et ses acides gras essentiels. Pour le reste, allez-y ! Parsemez vos crudités, vos soupes, vos compotes, vos yaourts... Vous remarquerez que plat sucré ou plat salé, le germe de blé s'adapte. La raison en est simple : son goût est neutre. À l'inverse de son influence sur votre santé : elle, elle sera positive.

La levure de bière : le combiné santé-beauté

Fatigue passagère ? Irritabilité ? Avez-vous pensé à la levure de bière ? Non ? Essayez ! En gélule ou en paillettes, en poudre ou en comprimé, la levure de bière peut se présenter sous différentes formes mais elle aura toujours un effet bénéfique sur votre organisme. Sa consommation vous apporte des protéines, des oligo-éléments et des vitamines (essentiellement D et du groupe B), lesquelles garantissent un effet détox.

Au chapitre des bienfaits de la levure de bière, on peut ajouter qu'elle permet d'améliorer la digestion, particulièrement chez les femmes enceintes qui risquent d'avoir droit à ce cortège de plaisirs bien particuliers que forment les nausées, les maux d'estomac, voire les vomissements... Enfin, gardez à l'esprit qu'une consommation régulière est bonne pour les ongles, rend leur brillance aux cheveux et redonne un bel éclat à la peau.

Le risque, ensuite, serait de surdoser votre consommation. Comme pour toute chose, il convient, en la matière, de rester raisonnable : pas plus de trois cuillerées à café par jour et plutôt des cures qu'une consommation permanente. Sinon ?

Sinon, c'est l'effet boomerang : votre flore intestinale s'en trouve déséquilibrée et l'on en revient au point de départ...

Fonio : 100 % céréale, 0 % gluten

Marre des céréales classiques ?

Prêts à dépenser un peu plus que pour le riz ou le blé ?

Alors n'attendez plus : essayez le fonio !

Peu, voire pas du tout connu en France, le fonio n'en est pas moins considéré comme l'une des plus anciennes céréales du continent africain. Je ne vais pas vous raconter de balivernes sur son goût : il est plutôt fade. Mais abstraction faite de cela, le fonio cumule les avantages : du magnésium au zinc, du calcium au manganèse, il regorge de ces micronutriments considérés comme bons pour la santé. En outre, il est facile à cuire, il est bio (on le trouvera donc dans les boutiques spécialisées) et c'est un aliment sans gluten. Et ça, c'est tout bénéfice pour les personnes qui y sont allergiques ou ont décidé d'en débarrasser leur alimentation (même si cette mode du « sans gluten » a tendance à m'agacer, voir le chapitre intitulé « Sans gluten mais avec méfiance »).

Dernière chose : le fonio, très nourrissant, est aussi recommandé aux personnes en surpoids. Si c'est votre cas, n'hésitez pas à tester cette céréale.

Mettez-vous à l'amande

Le saviez-vous ?

En ne vous mettant pas à l'amande, vous vous mettriez à l'amende...

Désolé, mais celle-là, elle me démangeait... C'est pour ça que je l'ai évacuée d'entrée, histoire de pouvoir passer aux choses sérieuses.

Oui, sérieusement, pensez aux amandes ! Elles contiennent, entre autres nutriments, du calcium, des protéines et de la vitamine E, dont le pouvoir antioxydant ne souffre aucune discussion.

Mais, objecterez-vous, les amandes, c'est gras ! Oui. Mais il y a gras et gras. Bon gras et mauvais gras. Et en l'occurrence, les amandes regorgent d'un bon gras, les oméga-3 qui, avec leurs petits bras musclés, savent tout faire : résister au cholestérol, se battre contre l'hypertension, lutter contre l'arthrose. Et tout ça sans oublier de renforcer votre système immunitaire.

Autre raison qui nous oblige à inscrire d'autorité l'amande au tableau d'excellence de votre alimentation : les fibres. Les amandes en sont pleines. Avantage numéro un : elles provoquent un sentiment de satiété. Avantage numéro deux : elles facilitent la digestion.

Il n'est pas ici question de vous transformer en écureuil, mais juste de vous alerter sur les mérites de ce fruit qui, *last but not least*, n'est pas encombrant, n'est pas salissant et a l'ultime mérite de pouvoir se marier agréablement avec une compote de fruits ou un plat de légumes.

Convaincu ?

Alors allez-y : mettez-vous à l'amande et, paradoxe, vous ne le vivrez pas comme une punition...

Rooibos : le thé rouge qui fait fureur

Rooibos... Si vous avez un problème avec la prononciation de ce mot, dites tout simplement « Thé rouge » : c'est la même chose ! Pourquoi « Thé rouge » ? Parce que la couleur des feuilles a tendance à se teinter de pourpre.

Le rooibos se consomme, chaud ou froid (voire glacé), sous forme d'infusion. La saveur ? Fruitée et fumée. Mais c'est plus qu'une infusion : c'est une boisson qui vous aide à mieux dormir et facilite la digestion. À tel point qu'en Afrique du Sud (puisque c'est de là que vient le rooibos, plus précisément dans l'arrière-pays du Cap), de nombreux médecins en recommandent l'infusion pour soulager les coliques des bébés.

Mais les charmes de cette nouvelle boisson ne s'arrêtent pas là. Elle contient de nombreux antioxydants dont je vous rappelle qu'ils sont les meilleurs alliés de votre organisme : ils protègent en effet vos organes contre certains cancers, certaines maladies dégénératives, certains troubles cardio-vasculaires et plus globalement contre le vieillissement.

Bien sûr, il y a, autour de tout nouveau produit, un effet de mode. C'est quasi systématique. Cependant, dans le cas du rooibos, il s'explique d'autant mieux que cette boisson ne contient ni théine ni caféine. Conséquence : moins d'effets indésirables, à commencer par l'effet diurétique qui vous fait passer au petit coin plus souvent qu'à votre tour...

Le lait est meilleur fermenté

En Inde, on dit « lassi ». Au Maghreb, « leben ». Dans le Caucase, « kéfir ». Derrière ces appellations toutes plus exotiques les unes que les autres, se cache le lait fermenté. Son goût est plus acide, sa texture plus onctueuse que le lait classique, dont il se différencie par l'ajout de ferments lactiques tout en en conservant les qualités nutritionnelles. On y trouve en effet autant de protéines, de glucides et de calcium.

La particularité du lait fermenté est qu'il fourmille de bactéries lactiques vivantes. Des bactéries ? Oui, des bactéries ! Ça vous fait peur ? À tort... (voir encadré). Ces « bonnes » bactéries, on les appelle les probiotiques (terme apparu en 1965, notez-le pour crâner). Elles se signalent par leur résistance et leur activité. Résistance : elles survivent à leur passage dans le tractus gastro-intestinal. Activité : elles sont capables d'adhérer aux cellules intestinales et de se multiplier afin de se substituer aux bactéries pathogènes, les « méchantes » bactéries. Elles sont donc taillées pour gagner la guerre des bactéries qui, au quotidien, se joue dans votre organisme. Il en résulte un meilleur équilibre de la flore intestinale que le stress, la déstructuration de notre alimentation ou même la prise de médicaments fragilisent en permanence.

Pas compliqué, le lait fermenté se boit nature ou enrichi d'un sirop, voire de fruits mixés. Mais il se boit surtout rapidement, ses gentilles bactéries n'ayant pas trop de patience : plus le temps passe, plus leur nombre diminue. Cependant, vous pouvez aussi ruser en l'intégrant à votre alimentation : le lait fermenté remplace avantageusement la crème dans une sauce ou une soupe (froide, car la cuisson détruit les « bactéries »).

Habituellement, la seule évocation de bactéries incite à fuir. Dans nombre d'esprits, bactérie = maladie. Or, certaines bactéries sont de bonnes copines. Des amies, même. Ce sont les **probiotiques**. Ces micro-organismes vivants facilitent la digestion du lactose (qui n'est pas évidente pour tout le monde). Autre avantage : ils sont utiles en cas de diarrhée, que ce soit pour les enfants ou pour les adultes (elle peut survenir quand vous êtes sous antibiotiques). Pour le reste, la confrérie médicale en parle au conditionnel. Il est possible que les probiotiques préviennent douleurs et ballonnements tout en renforçant le système immunitaire. Mais ce ne sont là que suppositions. Un conseil : dans le doute, ne vous abstenez pas car les probiotiques sont inoffensifs, quelle que soit la quantité consommée.

La bergamote : l'agrume oublié

Elle a une forme de poire, ressemble à une orange, cache une chair verdâtre sous une peau épaisse et lisse, généralement jaune, elle aurait été introduite en Europe par les Croisés à moins que Christophe Colomb l'ait rapportée des îles Canaries.

Vous avez trouvé ? Oui, forcément : la réponse est dans le titre !

La bergamote, donc...

Pourquoi vous en parler ? D'abord pour vous dire que la bergamote est déconseillée dans les trois premiers mois de grossesse. Si c'est votre cas, passez au chapitre suivant mais revenez nous voir plus tard, car vous avez tout intérêt à découvrir ou à redécouvrir ce fruit qui collectionne les avantages, même s'il est parfois oublié (tellement oublié qu'on peine à le trouver, voyez du côté de certaines enseignes alimentaires de luxe ou bio...).

La bergamote agit comme un tranquillisant, le plus naturellement du monde. En effet, elle favorise la production de mélatonine, l'hormone qui régule les rythmes journaliers. Elle peut, dès lors, être d'un grand secours en cas d'insomnie ou de décalage horaire.

En outre, la bergamote est une alliée de poids pour votre estomac. Elle stimule la digestion et soulage les crampes d'estomac, même si elles sont dues au stress ou à l'anxiété.

Enfin, c'est à savoir, la bergamote s'utilise contre le psoriasis (maladie de la peau, non contagieuse, qui se caractérise par des lésions rouges) et permet de prévenir l'hyperactivité.

Toutes ces raisons font de la bergamote un produit auquel vous pouvez réserver une petite place dans votre vie, d'autant qu'il se consomme sous mille et une formes : on le trouvera aussi bien dans la corbeille de fruits que dans les thés qu'il parfume, aussi bien dans certaines crèmes que dans des flacons d'huile essentielle.

« Pain de singe » : le fruit des fruits

Si vous n'avez pas encore entendu parler du « pain de singe », sachez que ça ne saurait tarder. Il fait en effet partie des nouveautés qui débarquent dans nos assiettes avec le label officieux « Bon pour la santé ».

Derrière cette appellation un tantinet bizarre, se cache... un fruit ! Celui du baobab. On peut le consommer en poudre, en boisson énergétique ou, à condition de disposer du fruit en question, on peut en extraire la pulpe qui se mariera parfaitement avec une boisson, une sauce ou un laitage.

Évidemment, le but du jeu n'est pas de manger du fruit de baobab pour se vanter de manger du fruit de baobab, même si ça fait très chic ! Le pain de singe doit son succès, entre autres choses, à sa richesse en vitamine C : il en contient six fois plus qu'une orange ! Il contient également deux fois plus de calcium que le lait, du phosphore, du fer et, pour couronner le tout, suffisamment d'antioxydants pour être recommandé à celles et ceux que le vieillissement préoccupe, ce qui me paraît tout à fait légitime.

Enfin, sachez que ce nouvel aliment aide à se concentrer et à récupérer après l'effort sportif.

Le citron, atout détox

Avec son goût acidulé, il stimule les papilles gustatives et votre digestion s'en trouve facilitée. Il est, comme nombre d'agrumes, réputé pour prévenir certains cancers (œsophage, estomac, côlon, bouche, larynx...), diminuer le risque de maladies cardio-vasculaires et jouir de propriétés anti-inflammatoires.

Avec ses 19 calories pour 100 grammes, le citron constitue l'atout détox par excellence. Vous pouvez le consommer dès le réveil, à jeun. Pur ! Ou coupé à l'eau pour les palais les plus sensibles et à condition que vous n'ayez pas l'impression qu'il vous fait un trou à l'estomac au passage... Certes, ça décoiffe un peu, mais le foie ne connaît pas de meilleur moyen pour activer la sécrétion de la bile et se préparer ainsi à une digestion de qualité, tout au long de la journée. D'une manière générale, un bon jus pressé fera le plus grand bien à votre silhouette tout en vous donnant un coup de fouet, vu que le citron est prodigue en vitamine C. Quelques gorgées : il n'en faut pas plus pour nettoyer votre système digestif, tout en stimulant votre activité rénale. Les vertus diurétiques du citron contribuent à l'élimination de l'eau stockée. En clair, ce fruit souvent oublié reste l'un de vos meilleurs alliés pour combattre la cellulite.

Après, vous entrez dans un cercle vertueux. Le citron est en effet un coupe-faim naturel qui stabilise le taux de sucre dans le sang. En le consommant, vous envoyez un message de satiété qui tempère votre appétit. Si votre coup de fourchette vous effraie, n'hésitez pas à en boire avant chaque repas. Vous verrez, ça calme...

Enfin, le citron a l'avantage de pouvoir se consommer régulièrement : outre le jus, vous pouvez croquer une rondelle de temps à autre ou en ajouter quelques gouttes dans une grande variété de plats (à commencer, évidemment, par les poissons), voire le respirer sous forme d'huile essentielle.

La grenade, fruit explosif

Ce fruit-là, c'est une bombe ! D'ailleurs, ça s'appelle la grenade...

En faire l'éloge, c'est commencer par articuler tout un tas de mots savants tels que « anthocyanine » ou « acide ellagique » : ils désignent certains des nombreux antioxydants que contient ce fruit magique. Oui, magique, car non content de vous nourrir, il vous soigne. C'est le médicament le plus goûteux qui soit !

D'abord, la grenade est capable de désencombrer vos artères coronaires de tous les dépôts graisseux qui s'y trouvent. Enfin, « tous », j'exagère... Sinon, ce serait le meilleur traitement contre l'infarctus, ce qui n'est évidemment pas le cas ! Mais disons qu'elle aide à faire le ménage dans vos artères. Elle contribue donc à vous mettre à l'abri de l'athérosclérose, cet excès de mauvais cholestérol qui, allié au stress, peut déboucher sur l'hypertension. Bref, la grenade est la meilleure alliée de l'élasticité de vos artères et améliore donc le flux sanguin dans le cœur. *In fine*, elle vous éloigne des risques de crise cardiaque.

Mais ses vertus ne s'arrêtent pas là. Truffée de vitamines (notamment C), la grenade présente une liste sans fin de propriétés parmi lesquelles la capacité à lutter contre le développement de la cataracte, le renforcement des os et des muscles, l'élimination des parasites intestinaux ou encore la réduction de la plaque dentaire. Bref, à consommer en jus ou tel quel, c'est le « fruit de compétition » par excellence. Et croyez-moi, c'est plus que sacrifier à l'art de la formule que de présenter les choses ainsi : la grenade est en effet un excellent fruit de récupération pour les sportifs, car elle agit contre les radicaux libres et l'acidité qu'ils produisent au cours d'un effort physique.

Quant aux petits malins qui imaginent faire l'impasse sur la grenade et la remplacer par quelques rasades de grenadine, je les arrête tout de suite. Les producteurs artisanaux qui utilisent la pulpe de grenade, il en existe certes, mais il faut se lever tôt pour les trouver... Le sirop que l'on vous vend dans le commerce contient un peu de fruits rouges (groseille, framboise) mais beaucoup d'arômes artificiels, de colorants et d'acide citrique. Donc retenez bien : si la grenade est un fruit explosif, la grenadine n'est qu'un pétard mouillé...

Mangez des clémentines !

La Chine en est le premier producteur mondial. Lorsqu'elles sont françaises, elles viennent majoritairement de Corse. Et c'est le quatrième fruit le plus consommé dans l'hexagone. Il s'agit bien sûr de la clémentine, un fruit d'hiver par excellence : bon pour le moral, bon contre le coup de pompe.

Atout numéro 1, la vitamine C. Il suffit d'avaler deux clémentines pour en récolter 40 milligrammes, ce qui correspond à la moitié de ce qui est préconisé chaque jour pour se sentir tonifié, lutter contre la fatigue et se protéger des agressions extérieures.

Atout numéro 2, la teneur en calories. Elle est faible. Moins de 50 calories pour 100 grammes de cet agrume, juteux, désaltérant et sucré.

Atout numéro 3 : la clémentine est source de sels minéraux et d'oligo-éléments. Sa teneur en calcium fait la joie de vos cellules osseuses. Sa teneur en magnésium et en fer agit sur la résistance de votre système musculaire et nerveux.

Atout numéro 4 : les fibres. Leur douceur le dispute à leur efficacité. Votre transit s'en trouvera reboosté.

On pourrait ainsi énumérer une multitude d'atouts. On retiendra que la clémentine est peu encombrante, qu'il faut la conserver dans le bac à légumes du réfrigérateur (cela évite le dessèchement) et qu'on peut en recycler la peau, à condition d'avoir acheté des fruits non traités. En effet, l'écorce se râpe et se glisse avec bonheur dans les gâteaux maison.

Dernière chose : la clémentine vous donnera aussi l'occasion de frimer. En l'épluchant sous le regard envieux de vos amis, apprenez-leur qu'elle a été inventée en Algérie, à Oran, par un religieux : le père Clément. D'où son nom.

Les prunes, ça compte

Noire, rouge, mauve ou jaune, elle vous donne le choix de la couleur. La prune crue est un fruit au pouvoir antioxydant élevé (excellent, donc, pour faire la guerre à d'éventuelles cellules cancéreuses). Elle contient par ailleurs moult vitamines (A, K et surtout C) qui ont toutes leur utilité.

La vitamine A joue un rôle important dans la vision (notamment nocturne), contribue à la bonne santé de la peau et des muqueuses tout en régulant votre système immunitaire, lequel se trouvera d'autant plus stimulé que vous aurez au passage fait le plein de vitamine C. Quant à la vitamine K, elle aide à lutter contre l'ostéoporose et facilite la coagulation sanguine.

Pour goûter toute la saveur des prunes crues, il faut qu'elles soient mûres à point. Comment le savoir ? Simplissime : vérifiez qu'elles sont molles à leurs extrémités. Ce n'est pas le cas ? Attendez un peu en laissant vos prunes à température ambiante. C'est le cas ? Consommez immédiatement ou mettez-les au réfrigérateur ; elles patienteront au frais. Il conviendra de les sortir quelques heures avant dégustation, histoire de laisser au fruit le temps de retrouver tout son arôme.

Notez, pour finir, que la prune crue, riche en fibres alimentaires, a des vertus laxatives : il est de mon devoir de vous en informer...

Les petits secrets du pamplemousse

Vous n'allez pas en revenir : le pamplemousse est un gros menteur ! Oui, le pamplemousse, en réalité, n'en est pas un. On l'appelle ainsi, alors qu'il est extrêmement rare dans notre pays et ne se trouve réellement que dans certains pays tropicaux asiatiques. Notre pamplemousse à nous, le vrai-faux du genre, c'est en réalité le pomelo.

Donc, ça c'est acquis, le pamplemousse (ou le pomelo) nous ment. Mais ce n'est pas une raison pour le bouder. Vous auriez tort de le faire, et pas seulement parce que c'est un fruit pratique qui se conserve une semaine à température ambiante et jusqu'à six semaines au réfrigérateur (à condition de le placer dans un contenant qui demeure fermé).

D'abord, le pamplemousse est un fruit rafraîchissant : il fait partie des valeurs sûres dont il ne faut pas se priver quand le soleil cogne. Ensuite, il regorge de vitamine C, dont nous savons tous qu'elle nous est indispensable. Enfin, il renferme des composés antioxydants dont toutes les études concluent qu'ils sont bons pour votre santé, notamment pour prévenir certains types de cancer. Ajoutons que, pour les personnes qui sont en surpoids, la consommation de pamplemousse est plus qu'indiquée.

Le **pamplemousse** (le pomelo, si vous préférez) est un fruit tellement recommandable qu'on en oublie parfois de préciser que sa consommation est incompatible avec certains médicaments. Ce que beaucoup de personnes ignorent. D'où la nécessité, si vous êtes sous traitement (ce qui peut parfois vous arriver), d'en toucher deux mots à votre médecin traitant ou votre pharmacien : eux sauront vous dire si ce fruit, par ailleurs en tout point remarquable, peut provoquer des effets indésirables.

Avec le melon, on a tout bon

Le melon : voilà un fruit qui a toutes les raisons d'avoir la grosse tête tant il cumule les bons points... Qu'il soit orange, vert ou jaune, il rafraîchit, hydrate et contient une ribambelle de sels minéraux essentiels aux os et au fonctionnement du cœur, des nerfs et de vos muscles. Ajoutez à cela qu'une simple tranche de 100 grammes fournit 10 % des apports quotidiens recommandés en vitamine C et vous serez rassuré sur ses capacités immunitaires (d'autant qu'il est rare qu'on se contente d'une seule tranche...).

Il y a mille bonnes raisons de consommer du melon. Parmi elles, le fait qu'il protège et assouplisse les vaisseaux sanguins tout en fluidifiant la circulation : de quoi prévenir les maladies cardiovasculaires. Le melon est aussi excellent pour le fonctionnement des reins et des intestins. On vous passe les subtilités médicales, mais le fait qu'il soit riche en potassium et chiche en sodium lui donne des propriétés diurétiques. Bref, il nettoie l'organisme en favorisant l'élimination des déchets. Enfin, et c'est moins connu, le melon protège vos yeux. Non avare de bêta-carotène, il facilite une bonne irrigation, prévient le risque de sécheresse oculaire et, au final, vous aide à mieux voir de jour comme de nuit.

En fait le seul problème, avec le melon, c'est de savoir avec qui le marier. Seul, c'est bon. Mais avec du jambon sec, type *prosciutto*, si possible débarrassé de son gras (apport de protéines), ce n'est pas mal non plus. En soupe, essayez la citronnelle : le mélange est réputé pour calmer les troubles digestifs. Enfin, en jus, associez-le au concombre, vos reins vont adorer.

Pastèque : à consommer sans modération

Les mauvaises langues prétendent qu'avec la pastèque, l'avantage, c'est qu'on se lave les mains tout en mangeant ! Blague à part, ce fruit des plus juteux est non seulement désaltérant mais en plus truffé de lycopène, un antioxydant de la famille des caroténoïdes (ce terme savant désigne le pigment orange qui donne sa couleur à la carotte). En découle tout un tas d'avantages : la pastèque aurait le chic de nous éloigner du cancer, agirait contre le cholestérol et préviendrait les inflammations... Même ses petits pépins noirs, qu'on a tendance à laisser au bord de l'assiette, mériteraient d'être avalés : ils contiennent en effet de la vitamine C.

Pour le reste, il y a ce qu'on pourrait appeler une « éthique de la pastèque ». Elle demande, comment dire ? un sens du timing et une prédisposition pour l'accompagnement !

Primo, à partir du moment où vous plantez votre lame de couteau dans la pastèque, vous devez la consommer dans les 4 jours. Sinon, la teneur en lycopène diminue. Et ce serait dommage de vous priver de cet antioxydant dont je viens de vous conter les mérites. Secondo, il est prouvé que tout ce que la pastèque a de bon est mieux absorbé par votre organisme à partir du moment où, simultanément, vous consommez un peu de lipides. Aussi, mais ça restera entre nous et à ranger dans la catégorie des secrets qui nous unissent pour l'éternité, vous avez tout intérêt à accompagner votre pastèque de quelques noix ou un morceau de fromage. Sur le papier, ça n'est peut-être pas évident, mais sachez que sur le plan biologique, je le recommande.

Le jus ne fait pas le fruit

Fruit ou jus de fruit ? On a parfois tendance à croire que l'un vaut l'autre et on a tort. Pour la simple et bonne raison qu'ils sont métabolisés différemment par notre corps.

Qu'y a-t-il dans un jus ? Du sucre, de l'eau et des vitamines. Le breuvage est débarrassé d'une bonne partie de ses fibres, lesquelles, en revanche, restent présentes dans le fruit dans lequel on croque.

Une pomme, ça vous dit ? Prenons cet exemple...

Quand on croque dedans sans l'avoir épluchée (mais après l'avoir tout de même rincée), on avale tout un tas de composés dits « antioxydants » car la pelure du fruit en contient beaucoup plus que la chair. Ces composés sont réputés utiles pour lutter contre les effets du vieillissement et protéger notre cœur. Accessoirement, ils aident à ériger un rempart contre le cancer. Même chose pour les fibres, utiles pour notre digestion et la protection de nos vaisseaux sanguins : elles abondent dans la pelure. Leur particularité ? Elles sont capables de ralentir l'arrivée du sucre du fruit (il en est gorgé) dans le sang. Voilà pourquoi notre taux de glycémie (taux de sucre) grimpe en flèche quand on boit un jus de fruit. Le très sérieux *British Medical Journal* est même allé jusqu'à suggérer qu'en consommant des fruits entiers, on se protégeait du diabète alors qu'on s'y exposait quand on ne se contentait que de jus de fruits.

En résumé, il n'est pas interdit de s'offrir un jus de fruit de temps en temps. Frais et pressé. Mais n'imaginez en aucun cas que cela remplace la consommation du fruit : il n'a pas les mêmes qualités nutritionnelles et en plus vous oblige à mâcher un minimum, ce qui est excellent pour le transit.

Le raisin sec, c'est moche mais c'est bon

Petits, rabougris, difformes, flétris... Objectivement, pâlots ou noirauds, ils sont quand même très moches : on dirait des grains de beauté qui ont mal tourné... Mais qu'ils sont bons ! Oui, qu'ils sont bons pour votre santé !

Vous ne pouvez imaginer tout ce que les raisins secs cumulent comme avantages.

Primo, ils ont un formidable pouvoir antioxydant. Le vieillissement de vos cellules s'en trouve ralenti. On ne va pas dresser ici la liste de tous les phénols qu'ils contiennent, mais retenez simplement qu'ils sont truffés de resvératrol, nom savant derrière lequel se cache un protecteur de votre cœur, à condition évidemment que vous meniez une vie saine.

Secondo, vous trouverez dans le raisin sec quatre fois plus d'oligoéléments que dans le raisin frais. Du calcium, du fer, du magnésium, du potassium, auxquels s'ajoutent des sels minéraux, des glucides (je vais y revenir...) et pas mal de vitamines B. Tout cela ne peut que contribuer à fortifier votre organisme

Tertio, le raisin sec, c'est quand même l'aliment pratique par excellence. Disponible toute l'année, pas compliqué à conserver, il est facile à emporter avec soi, tel quel, pour l'avaler sur le pouce. Mais on peut aussi le consommer cuisiné : en entrée, il enrichit votre salade ; en plat principal, il accompagne poissons, viandes et volailles ; en dessert, il décore cookies et pâtisseries. Ce ne sont là que quelques exemples car le bougre a le chic pour s'incruster partout, à l'apéro comme dans le pain !

Pour résumer, si vous n'y aviez déjà pensé, misez sur les raisins secs. Bien sûr, d'aucuns objecteront qu'ils sont riches en sucre. Trop riches ? Voire... Le sucre des fruits est réputé pour ne pas – ou si peu – faire grossir et celui du raisin sec fournit une énergie bienvenue en cas d'activité cérébrale mais aussi physique.

Le kale : rien de mieux pour vous caler

Le kale, c'est l'aliment tendance. Les Américains en sont dingues et comme chacun sait, quand les Américains adoptent un truc, ça finit immanquablement chez nous. Il a suffi qu'outre-Atlantique quelques stars en fassent la promotion pour que le chou frisé (nom français du kale) revienne à la mode. Oui, « revienne ». Car on en consommait déjà dans certains pays européens au Moyen Âge.

Cet aliment, tombé en désuétude après la Seconde Guerre mondiale, est le cousin du brocoli et il faut reconnaître qu'il cumule les atouts : bon sur le plan nutritionnel, bon pour la ligne, bon pour la santé.

Pour 100 grammes de kale, le taux de vitamine C avoisine les 120 milligrammes (soit trois fois plus qu'une orange). Je ne vais pas vous abrutir avec des chiffres, mais il faut savoir que le kale est un concentré de bonnes choses : vitamines A et B6, potassium, calcium (idéal pour les enfants qui ont tendance à se bourrer de produits laitiers).

Le kale est aussi le meilleur ami de votre ligne. Non content d'être ridiculement pauvre en calories, il est riche en fibres. Incroyablement riche. Au point qu'il a un effet coupe-faim qui vous tiendra éloigné du frigo. Bref, finauds comme vous êtes, vous l'aviez compris : le kale, ça cale...

Enfin, même si je vous serine depuis toujours que les légumes sont excellents pour prévenir le cancer, il faut reconnaître que le kale, dans cette catégorie, se place en tête de gondole : bon pour la prostate, bon pour la vessie, bon pour le côlon. Et comme un bienfait ne vient jamais seul, le kale, puissant antioxydant, aide à lutter contre le cholestérol et les maladies cardiovasculaires.

Le radis : vertu et simplicité

Vous tenez à votre santé cardiovasculaire ? Comme moi. Vous aimeriez vous protéger contre le cancer ? Moi aussi. Il faut, pour mettre un maximum de chances de son côté, consommer le plus régulièrement possible des légumes de la famille des crucifères. Quels sont-ils ? Le navet, le chou-rave, le chou-fleur, le brocoli et le radis.

Attardons-nous sur ce dernier.

Rouge ou blanc, il se croque, pique avec subtilité et vous rafraîchit. Ses propriétés antioxydantes en font un aliment à ne pas négliger. En outre, ce qui est bien avec le radis, c'est qu'il est entièrement comestible : vous pouvez en manger les feuilles ! Après, libre à vous de le consommer cru ou cuit.

Cru, le radis s'impose à l'apéro ou dans une salade. On ne lui connaît pas de meilleure compagnie que le thon, l'avocat, la tomate, l'œuf dur ou le maïs doux. Vous ne pourrez pas dire que vous n'avez pas le choix. Notez qu'il peut aussi être râpé et être mélangé avec du beurre non salé pour finir sur une tartine.

Cuit, le radis rouge n'a même pas besoin d'être coupé. Il se satisfait d'un quart d'heure de cuisson à la vapeur avant d'être glacé et passé dans une sauce composée de beurre et de jus d'orange. C'est simple, c'est bon et c'est juste une suggestion parmi d'autres.

> Avec le **radis**, rien ne se perd, tout se consomme. Les fanes se cuisinent comme des épinards mais peuvent aussi finir en soupe avec de l'oignon, des pommes de terre, du bouillon de volaille et un peu de crème. Et si tenir une casserole vous barbe, contentez-vous de les hacher pour en saupoudrer soupes et omelettes.

Le fenouil : mangez-en les yeux fermés

Évidemment, le fenouil, *a priori*, ça n'a rien de sexy. Déjà, il rime avec nouille et rien que pour ça, ça peut ruiner une réputation... Maintenant, si vous faites l'effort de passer outre ces considérations phonétiques, vous aurez tout à y gagner. Car vous savez quoi ?

Le fenouil, c'est bon !

Oui, bon pour la santé osseuse, bon pour lutter contre l'hypertension, bon pour prévenir certains types de cancers, celui du côlon notamment. Enfin, pour être franc, c'est ce que l'on a constaté après diverses expériences menées sur des animaux plus ou moins consentants. Et on se dit que si c'est bon pour eux, ça ne devrait pas nous faire de mal à nous, pauvres humains, mammifères avant tout et conscients que, dans le doute, mieux vaut ne pas s'abstenir...

Au besoin, essayez : vous verrez que la saveur anisée du fenouil flatte le palais quand elle est associée au poisson et aux fruits de mer. Après, rien ne vous empêche de le servir en salade : le fenouil supporte parfaitement la compagnie des patates bouillies et du poivron rouge, le tout décoré avec de l'oignon doux et arrosé d'un zeste de citron. Vous voulez rajouter du *prosciutto* ? Pourquoi pas... Mais n'en mettez pas trois tonnes non plus.

> En servant du **fenouil**, n'oubliez pas de frimer en rappelant à la tablée que le mot « fenouil » est apparu dans la langue française au XIIIe siècle, et qu'il nous vient du latin *foeniculum*, qui signifie « petit foin ». À l'époque, on s'en servait pour éloigner les insectes.

Légumes : crus ou cuits ?

« Les carottes sont cuites » : vous connaissez sans doute l'expression… Quand on la prononce, ce n'est en général pas bon signe. Eh bien, je le réécris ici en écho à la couverture de ce livre : « Les carottes ne sont jamais complètement cuites » !

Il ne faut désespérer de rien, tout est question de contexte. Par exemple, au moment de passer à table, le fait que les carottes soient cuites sonne plutôt comme une bonne nouvelle. Car à la cuisson, les carottes perdent leur paroi cellulaire, facilitant ainsi l'absorption par l'organisme des antioxydants caroténoïdes qu'elles contiennent. Même topo avec la tomate : figurez-vous qu'elle se bonifie en passant au four. Quand on la cuit, cela fait augmenter son taux de lycopène, un antioxydant utile pour diminuer les risques de cancer et de problèmes coronariens.

La carotte, la tomate, mais aussi le brocoli, le chou, le navet, le radis et d'une manière générale les légumes à feuilles… Les exemples abondent de légumes qui se révèlent meilleurs pour la santé lorsqu'ils sont consommés cuits.

Mais comme rien n'est simple, il ne faut pas sombrer dans la religion du tout-cuit. Le cru a aussi ses avantages, à commencer par la préservation d'une bonne partie des vitamines et des enzymes qui supportent mal le passage à la casserole. Et puis manger cru, ça oblige à mastiquer. Plus et plus longtemps. Mastiquer, c'est bon pour votre santé ! Et c'est excellent pour votre estomac, dont le travail (mâché, c'est le cas de le dire) se trouve facilité. Conséquence, il bosse moins et évite la suractivité généralement responsable du coup de barre qui vous assomme après un repas. En outre, notez que plus on mastique, plus le corps sécrète l'histamine, une hormone qui provoque une sensation de satiété et vous évite, dès lors, de vous gaver plus que de raison.

En résumé, ne délaissez pas le tout-cuit au détriment du tout-cru et vice versa. Sachez varier les modes de consommation tout en gardant à l'esprit que l'essentiel, avec les légumes, c'est surtout d'en manger régulièrement.

Les fruits, les légumes et les enfants

Ah, les gamins ! Comment leur faire avaler des fruits et des légumes ? Une fois qu'on leur a expliqué que c'est bon pour la santé, que ça fait grandir, que ça fortifie, que c'est plein de vitamines, ils continuent à vous regarder d'un air moqueur : « Cause toujours... »

Face à tant de mauvaise volonté, il faut savoir ruser.

– Ruse numéro 1 : leur donner l'illusion du choix.

Tomates ou concombre ? Petits pois ou haricots ? Chou-fleur ou artichauts ? Abricots ou melon ? Et ainsi de suite. Il n'est pas rare que l'enfant, même s'il fait la grimace, choisisse ce qu'il considère comme « le moins pire ». Mais au moins, à partir du moment où il s'est prononcé, c'est acté... Vous pouvez lui servir « son choix » avec un grand sourire...

– Ruse numéro 2 : les faire boire...

Présentez-leur fruits et légumes sous forme de jus maison, de smoothies ou de soupes froides. Pour peu que la présentation soit soignée, c'est-à-dire que les choses soient servies dans un gobelet avec une paille, ça peut fonctionner.

– Ruse numéro 3 : jouer sur l'effet miroir...

Un enfant, c'est petit. Et les portions de fruit ou de légumes, ça peut se présenter en version miniature... Vous voyez l'idée ? Je n'ai jamais su pourquoi, mais les bâtonnets de concombre ou de carotte à tremper dans le fromage blanc, ça leur plaît toujours plus que les petites rondelles dans une vinaigrette.

– Ruse numéro 4 : leur coller une toque sur le crâne...

Et si vous leur proposiez de vous aider à cuisiner ? Ça ne marche pas systématiquement, mais il arrive que cette approche les séduise. Ils auront à cœur de consommer ce qu'ils auront préparé, histoire de ne pas avoir l'impression d'avoir bossé pour rien...

Safran : un moral en or

Vous avez connu des périodes plus agréables et votre moral n'est pas tip-top ? Je ne prétends pas résoudre le problème en quelques lignes mais simplement vous donner des pistes qui, sur la durée, peuvent vous permettre de lutter contre la déprime. L'une de ces pistes passe par l'alimentation et notamment une épice qui non seulement est agréable au palais, mais en plus a la réputation justifiée de remonter le moral : le safran.

On retrouve cette épice dans de nombreuses cultures et civilisations. Et ce, depuis plus de cinq millénaires. Elle fait en outre l'objet d'applications médicales. Autant dire que sa réputation n'est plus à faire. Oui, le safran, grâce à ses propriétés toniques, booste le moral. Et pas que le moral : il se dit avec insistance que votre libido ne devrait pas souffrir d'une consommation certes mesurée mais régulière...

Mon conseil : le consommer sous forme de filaments plutôt qu'en poudre. Il relèvera à merveille ici une paëlla ou un potage, là un risotto ou une bouillabaisse.

Maintenant que vous êtes convaincus, ne reste qu'à aborder le sujet qui fâche : son prix. Vous connaissez l'autre nom du safran ? L'or rouge... Autant vous dire que cette épice n'est pas donnée.

Pas donnée du tout même : autour de 3 000 euros les 100 grammes... Je vous entends tousser mais bon : point n'est besoin non plus d'en mettre des tonnes dans l'assiette. Un gramme peut servir pour des dizaines de repas.

Si le safran vaut si cher, c'est parce qu'il est difficile à extraire. Les choses se font manuellement et demandent de la minutie, donc du temps. Cela ne suffit pas à rebuter ceux qui se lancent dans le business. Ils sont de plus en plus nombreux, ce qui traduit une demande en hausse. Il y a une trentaine d'années, il n'y avait que quelques safranières en France. Aujourd'hui, on en compte une centaine, pour la plupart établies dans la région Provence-Alpes-Côte d'Azur.

Les vertus oubliées de la cannelle

Sauf erreur de ma part, vous n'aimez pas les microbes... Ça nous fait déjà un point commun... Eh bien sachez que pour les combattre au quotidien tout en vous faisant plaisir, vous disposez d'une alliée : la cannelle. Bien avant nous, dans l'Égypte antique, on l'utilisait pour embaumer les morts. Plus tard, la noblesse du vieux continent s'en est servie pour masquer le mauvais goût de certains aliments. Aujourd'hui, sous forme d'infusion, elle concourt à faire des miracles, ses propriétés antimicrobiennes étant exceptionnelles.

Avant toute chose, un préalable : la cannelle est contre-indiquée chez les femmes enceintes et chez les personnes qui ont souffert d'arythmie cardiaque ou de gastrite. Pour le reste, cette épice collectionne les médailles. Elle devrait être remboursée par la Sécu, je suis à deux doigts de déposer une pétition pour ça !

Plus sérieusement, la cannelle protège votre système digestif. Avec elle, les « lourdeurs d'estomac » et le risque de diarrhées s'éloignent. En outre, consommée en infusion ou intégrée à l'alimentation, elle aide à réguler le taux de sucre dans le sang. Par ailleurs, son taux d'antioxydants étant élevé, elle œuvre aussi à vous protéger contre les maladies cardiovasculaires qui, contrairement à une idée qui circule, concernent aussi bien les femmes que les hommes. Pour finir, notez le double effet kiss cool de cette épice : elle lutte contre les infections génitales et, dans le même temps, contre les baisses de libido, au point que l'on parle à son propos d'aphrodisiaque. Avouez que les choses sont plutôt bien faites...

Mettez du cœur dans votre assiette

Prendre soin de son cœur, c'est à coup sûr déclencher toute une cascade de bienfaits pour l'organisme. Car un cœur en forme, c'est bon pour le cerveau, bon pour les reins, bon pour les muscles, bon

pour tout ! Tous nos organes, en effet, dépendent du cœur pour leur oxygénation et leur nutrition. Concrètement, un cœur en forme se traduit par :
– la sensation d'être plus jeune physiquement,
– l'absence d'essoufflement au moindre effort,
– une vie plus longue et de meilleure qualité.

De quoi a besoin votre petit cœur ? D'amour, évidemment. Mais pas seulement... Pour continuer à battre au bon rythme, le plus précieux des organes exige aussi une alimentation saine. Et côté casserole, il faut se méfier, car il distingue les aliments « amis » et les aliments « ennemis ».

Côté potes et question popote, je ne saurais trop vous inciter à manger du poisson. Le poisson, c'est bon. Sinon, ça ne prendrait qu'un seul « s » et ça deviendrait du poison. Merci d'esquisser un sourire... Plus sérieusement, le poisson contient de bonnes graisses et, du saumon au hareng, du maquereau à la sardine en passant par le flétan, vous pouvez varier les plaisirs. Bien sûr, optez pour une cuisson au court-bouillon ou en papillote plutôt que pour une friture...

Du côté des viandes, on trouve aussi quelques alliés du cœur : la volaille et le canard, riches en graisses insaturées qui favorisent la diminution du mauvais cholestérol.

Bien entendu, je ne le rappellerai jamais assez, les fruits et les légumes ne peuvent que vous faire du bien et, pour ce qui est des huiles, faites votre choix dans la famille végétale : de soja, d'olive, de colza, de noix ou de tournesol, elles sont toutes d'un grand secours pour vos artères.

Après avoir passé en revue les « amis », place aux « ennemis ». En dresser la liste exhaustive nécessiterait des heures... Retenez l'essentiel : la charcuterie, les viennoiseries, le beurre, la crème fraîche et les fromages (notamment ceux à pâte dure) ne vous veulent pas que du bien. Côté viandes, méfiez-vous du mouton, de l'agneau et des entrecôtes qui regorgent de graisses saturées, celles qu'il faut précisément éviter... Et je n'insiste pas sur la viande transformée comme le bacon ou les saucisses...

Évidemment, comme dit le slogan, il est interdit d'interdire. Donc ne vous interdisez rien mais, comme pour tout, restez raisonnable dans vos excès... Y compris dans vos excès de sédentarité... Car une bonne alimentation vous donnera la pêche et donc l'envie de bouger. À l'inverse d'une alimentation trop grasse, néfaste pour le cœur, et qui vous clouera plus que de raison dans votre canapé.

Qu'en est-il des « **métaux lourds** » dont il est souvent question lorsqu'on évoque la consommation des poissons de mer et de rivière ? Ils existent, mais pas de panique... Depuis qu'il est entré dans l'ère industrielle, l'Homme rejette du mercure dans l'eau. Et qui vit dans l'eau ? Les poissons. Qui mange dans l'eau ? Les poissons. Qui avale du mercure ? Les poissons. Et qui mange les poissons ? Vous. Moi. Nous. En tout cas, il est vivement conseillé d'en consommer. On sait le mercure toxique pour le cerveau. C'est la raison pour laquelle l'Agence nationale de sécurité sanitaire de l'alimentation recommande de se contenter de deux portions de poisson par semaine. Après vous avez le choix : lotte, loup, daurade, thon, flétan... Le saumon lui aussi est concerné, moins pour sa teneur en mercure que pour sa teneur en dioxines, substances que l'on retrouve dans les poissons de rivières. Mais vous avez de la marge... En consommant ces produits régulièrement sans en faire une obsession alimentaire, vous ne prenez qu'un seul risque : faire le plein d'oméga-3 et de vitamines.

Les oméga-3 ? Oui, mais

Cela fait maintenant des années que, par le truchement des magazines ou de l'air du temps, on vante à l'envi les bienfaits des oméga-3. Et c'est une bonne chose : anti-inflammatoires, fluidifiants sanguins, les oméga-3 régulent en outre la croissance cellulaire. Avec eux, on a tout bon. Et je confirme ici qu'il faut privilégier les aliments qui en sont riches : les poissons gras, l'huile de colza ou de noix, la viande, le lait ou encore les œufs, les plus « bio » possibles... Cependant, une erreur classique consiste à se donner bonne conscience en se bourrant d'oméga-3 sans agir sur d'autres aspects de son alimentation.

Les oméga-3 ont en effet des « frères ennemis » : les oméga-6. Ils appartiennent à la même famille, celle des acides gras polyinsaturés. Tous sont indispensables à l'organisme. Mais les oméga-6 sont pro-inflammatoires et pro-coagulants... Là où les choses se compliquent, c'est que les oméga-3 et les oméga-6 utilisent une enzyme commune pour leur métabolisme dans l'organisme. Et si les oméga-6 sont en excès, ils monopolisent cette enzyme. Du coup, les oméga-3 ne sont plus utilisés par l'organisme, ce qui, vous en conviendrez, est bien dommage ! En résumé, manger des oméga-3, c'est bien, c'est utile, mais il faut penser, parallèlement, à réduire sa consommation d'oméga-6. Pour ce faire, on peut agir en limitant l'huile de maïs et l'huile de tournesol, très, trop présentes dans l'alimentation occidentale.

Poisson d'élevage ou **poisson sauvage** ? L'idéal est de ne pas choisir et d'adopter les deux. Cela ne veut pas dire qu'il n'y a pas de différence entre leurs qualités nutritives. Bien nourri, le poisson d'élevage fait du gras : du bon (omega-3) et du moins bon (omega-6) si sa teneur est trop importante, ce qui peut arriver. Mais il demeure riche en vitamines. Le poisson sauvage, lui, se réveille le matin sans savoir ce qu'il va manger. Alors il avale ce qu'il trouve sans offrir la garantie d'une grande richesse en omega-3. Cependant sa chair est plus ferme et il a plus de goût que son collègue d'élevage. Alors, l'un ou l'autre ? Alternez...

Le beurre de cacahuète : un bon substitut

Le beurre de cacahuète, vous en appréciez la saveur ? C'est normal. Mais ça vous fait peur ? *A priori* oui, et c'est normal aussi. Pensez donc ! Le beurre, c'est le diable. Et la cacahuète le démon. Donc le beurre de cacahuète, c'est Satan puissance dix, l'alliance de toutes les malédictions, l'addition de deux péchés mortels ! Et pourtant...

Je vous la fais courte : oui, le beurre de cacahuète, c'est gras. Mais le rayer de votre liste de courses serait peut-être une erreur. Attention : je ne vous incite pas à vous en gaver mais vous demande juste d'imaginer que vous pourriez l'utiliser à la place d'autres matières grasses. Car le beurre de cacahuète peut remplacer le beurre (au moment de faire une sauce, voire un gâteau) ou se substituer à l'huile (dans une vinaigrette ou un wok). Les chiffres parlent d'eux-mêmes : 100 grammes de beurre de cacahuète contiennent 640 calories contre 730 pour le beurre et 900 pour l'huile.

Si l'expérience vous tente, sachez qu'il vaut mieux vous orienter vers la gamme bio. Elle propose des produits moins sucrés, moins salés, souvent débarrassés d'huile de palme. Mais encore une fois, l'idée, c'est d'utiliser le beurre de cacahuète non pas en supplément mais à la place de matières encore plus grasses...

Vous risquez de craquer ? De vous offrir un petit supplément ? Ah... Dans ce cas, tartinez (modérément) sur du pain complet qui aura le mérite de compléter l'apport en fibres et en minéraux.

Je mange et j'ai le ventre plat

Ah, les petits bourrelets hérités de l'hiver, voire du printemps ! Quand surgit l'été, on rêve d'un ventre plat. En la matière, on ne se trouve jamais suffisamment comme il faut...

Et si, pour une fois, au lieu de vous interdire des choses, vous vous en autorisiez ? Si vous vous autorisiez à manger, mais pas n'importe quoi ? Dame nature offre suffisamment de ressources qui sont autant d'alliées de votre minceur. Certains aliments sont si peu caloriques que vous pouvez les consommer sans modération. Ils sont nutritifs, capables de vous fermer l'appétit au moment de tous les dangers, celui du dessert...

Parmi eux, et ce n'est pas une surprise, on trouve tous les légumes feuilles : blette, chou... Dites-vous bien une chose : quand c'est vert, en général, c'est bon. Je ne saurais trop vous conseiller de les consommer à la maison (mijotés dans du bouillon) plutôt qu'au restaurant, où il arrive assez souvent qu'ils soient noyés dans le beurre...

Sans détailler les vertus de chacun d'entre eux, on peut lister tous les aliments qui méritent de prendre place dans votre garde-manger au moment d'enfiler le maillot de bain (et même un peu avant, car il vaut mieux anticiper...).

Les voici : la poitrine de dinde, le riz complet, le flocon d'avoine, le gingembre, le concombre, l'artichaut, l'asperge, l'avocat (pas trop, c'est calorique), les amandes (pas trop, pour la même raison). Côté boissons : le thé vert, le citron pressé, les infusions à la menthe poivrée (à l'arôme si fortifiant). Et le melon, et la mangue, et l'ananas... Et les framboises, entières ou écrasées, qui remplaceront avantageusement le sucre dans votre fromage blanc (maigre, svp !). Cette liste n'est pas exhaustive. Mais avouez qu'il y a déjà là de quoi s'amuser tout en s'évitant des bourrelets supplémentaires. Si, en prime, vous vous offrez quelques séances d'abdos, vous verrez vite le résultat...

Focus sur le régime paléo

À moins que vous ne viviez dans une grotte, vous avez sans doute entendu parler du régime paléo. Il se distingue par son originalité et compte de plus en plus d'adeptes.

Il s'agit d'un régime où l'on mange comme l'homme préhistorique. Question contenu de l'assiette. Car question outils, on conserve couteaux et fourchettes. Et on se lave les mains avant de passer à table.

L'homme des cavernes était avant tout un cueilleur. En conséquence, le régime paléo recommande la consommation de légumes de saison (bio) et de fruits (mais en quantité raisonnable car les fruits, c'est plein de sucre).

L'homme des cavernes était un voleur : il piquait dans les nids d'oiseaux. Du coup, le régime paléo vous autorise à manger des œufs.

L'homme des cavernes était un chasseur. Mais il revenait parfois bredouille. Donc O.K. pour les viandes maigres (blanc de poulet, gibier, escalope de veau...), en alternance avec le poisson (car l'homme des cavernes était aussi pêcheur).

L'homme des cavernes était un gourmand. En tout cas suffisamment pour que les spécialistes du paléo vous autorisent les graines et les fruits à coques qui ont des vertus antioxydantes et procurent protéines végétales et minéraux. C'est donc parti pour une cure de courge, de citrouille, de tournesol, de noix de macadamia, de noisettes, de pistaches, de pignons de pin... En quantité raisonnable, toujours.

L'homme des cavernes était un peu ours : il se délectait de miel... Dans le cadre du régime paléo, faites de même, utilisez le miel pour sucrer vos desserts.

Vous noterez qu'au paléolithique, il n'y avait ni céréales, ni laitages, ni pommes de terre, ni produits industriels : tout cela est donc à éviter pour qui prétend suivre un régime paléo.

À propos du régime méditerranéen

On l'appelle aussi le régime crétois, pour la simple et bonne raison que les habitants de la Crète affichent le taux de mortalité cardiovasculaire le plus bas au monde. Ce régime passe pour être le meilleur allié de votre cœur. La Société européenne de cardiologie ne s'y trompe pas, qui le recommande et précise que ce régime fait partie intégrante de tout traitement pour le cœur. Il est vrai qu'en association avec une activité physique régulière, il aide à maintenir le système cardiovasculaire en forme. Il permet aussi de prévenir infarctus et attaques cérébrales.

Le régime méditerranéen présente le double avantage d'être varié et facile à observer. Ses règles en sont simples.

– La viande y prend peu de place : les protéines animales sont essentiellement fournies par les volailles, les œufs, les poissons et les laitages, surtout de chèvre et de brebis, qu'il convient de consommer avec modération, c'est-à-dire deux ou trois fois par semaine pour chacun de ces aliments.

– Le poisson est en revanche à privilégier (riche en oméga-3 cardio-protecteurs). Il faut en consommer au moins une fois par semaine et idéalement deux, voire trois fois, en privilégiant les poissons gras (thon, saumon, sardines, maquereaux...), qu'ils soient frais (c'est toujours mieux) ou en conserve.

– Les fruits et les légumes sont à consommer en grande quantité (quotidiennement) pour leurs vertus antioxydantes. Côté légumes, les poireaux, les tomates, les courgettes, les aubergines, les salades et la famille des choux (choux pommés, brocolis, choux de Bruxelles) sont à la fête.

– L'ail, l'oignon, les épices et les aromates sont quasi systématiques. Un plat qui n'en comporterait pas serait suspect !

– L'huile d'olive est incontournable : elle fait office de corps gras.

– Les aliments sucrés ? Pourquoi pas, mais modérément : pas question d'en prendre tous les jours.

– Ajoutez à cela la présence quotidienne dans votre assiette de noix ou de graines, de fromage (ou yaourt) de chèvre ou de brebis, de produits céréaliers complets, le tout arrosé d'un verre de vin rouge et vous tenez là la liste des grands principes de ce régime qui passe pour miraculeux. Vous avez bien lu : un verre de vin rouge... Pas un verre après chaque bouchée... Sinon, vous échapperez peut-être aux problèmes cardiovasculaires mais vous aurez des soucis avec d'autres organes, le foie par exemple.

Gardez à l'esprit que le **régime méditerranéen** est un tout : ne tenir compte que de certaines de ses règles ne peut qu'en atténuer l'efficacité. De plus, il est, comme son nom le laisse deviner, adapté aux populations qui vivent au cœur ou au bord de la Méditerranée et, de fait, bénéficient d'un ensoleillement qui leur assure un apport en vitamine D qui serait moindre sous un ciel plombé... En conséquence, celles et ceux qui sont un peu moins gâtés par la météo iront chercher cette vitamine D en consommant toujours plus de poissons gras (saumon, sardines, maquereaux) ou en se rabattant sur les produits laitiers enrichis en vitamine D.

Dix conseils pour brûler les graisses

Vous trouvez que vous avez un peu de gras ? Faites-le bosser. Mobilisez-le. Il s'en ira de lui-même... Ainsi présentées, les choses sont un peu vite résumées, mais il faut savoir qu'il y a du vrai là-dedans : il existe des aliments qui brûlent les graisses. Ils ont le triple avantage de faciliter la digestion, de procurer un sentiment de satiété et de stimuler le métabolisme. Et en les privilégiant (les aliments, pas les graisses), vous ralentirez l'usine à stocker que menace à tout moment de devenir votre organisme !

Ces aliments, en voici dix...

1. Les produits laitiers à 0 % (de matière grasse) hyperprotéinés.

Pris au petit déjeuner, ils demandent de l'énergie à l'organisme pour être assimilés. Ce faisant, ils puisent dans vos réserves et brûlent des calories. En outre, ils vous éviteront la petite fringale de 11 heures.

2. Le son d'avoine.

Son effet satiété n'est plus à démontrer. Riche en fibres, le son d'avoine ralentit le passage du sucre dans le sang, ce qui permet d'éviter les pics et les creux qui nous poussent à fureter dans le garde-manger ou le frigo en fin de matinée. En plus, le son d'avoine se marie parfaitement avec les produits laitiers dont je vous vante les mérites quelques lignes plus haut. Parfait au petit déjeuner.

3. Le piment.

Dès que vous en avalez, la température interne du corps augmente. Le métabolisme s'en trouve dopé. Cela dit, ça pique... Donc, n'ayez pas la main trop lourde lorsque vous saupoudrez vos plats.

4. La cannelle.

En absorber permet de réduire le taux de sucre dans le sang. Or, le sucre, ça fait grossir. Donc moins de sucre = moins de poids (équation de bon sens, non ?).

5. Le vinaigre.

Lui aussi sert à réguler le taux de sucre dans le sang. Évitez de le boire au verre : dans une salade, c'est mieux...

6. Les viandes maigres, les poissons, les œufs...

Tant qu'à manger des protéines (ce qui est fortement recommandé), autant qu'elles demandent beaucoup d'énergie pour être assimilées. Et c'est précisément le cas de ces aliments. Alors...

7. Le citron.

Il contient de l'acide citrique, ce qui aide à brûler les graisses. Un petit jus au réveil vous fera le plus grand bien.

8. La pomme.

En collation, elle réalise l'exploit de piéger une partie des lipides avant qu'ils ne deviennent bourrelets.

9. Le thé vert.

On n'en finit plus de vanter son action amincissante et diurétique. Notez que les tanins réduisent l'assimilation des graisses.

10. Le café.

Qui dit café dit caféine, laquelle présente l'avantage de brûler certaines graisses. Attention cependant à l'effet boomerang : pas plus de trois tasses par jour sous peine de sombrer dans l'anxiété ou le stress qui, souvent, se traduisent devinez par quoi ? Par le stockage des graisses !

Parce qu'il est possible d'en acheter sans ordonnance, les **compléments alimentaires** ne sont pas considérés comme des médicaments. Pour autant, sont-ce des produits anodins ? Non. Peuvent-ils entraîner des effets secondaires indésirables ? Oui. D'où la nécessité, si vous ressentez le besoin d'en prendre, de consulter votre médecin traitant. À moins, ce qui serait plus sage, que vous ne préfériez influer sur le contenu de votre assiette. Car si vous estimez manquer de zinc, de magnésium, de fer, de vitamine C ou de je-ne-sais-quoi d'autre, je vous rappelle que tout cela se trouve dans nos produits alimentaires courants. Ils sont sains et en vente libre. Il suffit juste de décider de se les procurer...

Les vitamines : où et pourquoi ?

Vitamine : le mot magique ! Je vous répète à longueur d'émissions qu'il ne faut pas avoir de carence. Et il a même pu arriver que je vous saoule avec leur petit nom : vitamine A, B, C, D, etc. Du coup, vous avez un peu de mal à vous y retrouver.

À quoi servent-elles ? Où les trouve-t-on ?

Pas de panique ! Je me propose de faire le point avec vous.

1. La vitamine A.

Elle est bonne pour la vision, la croissance des os et la santé de la peau. De plus, elle protège contre les infections. On la débusque dans les abats, le hareng et tout un tas de légumes parmi lesquels la patate douce, la carotte, les épinards, le chou ou la courge.

2. La vitamine C.

Excellente pour la santé des os, des cartilages, des dents et des gencives, elle protège contre les infections et accélère la cicatrisation. Quant à ses propriétés antioxydantes, elles ne souffrent aucune discussion. On la trouve dans de nombreux légumes (brocoli, poivron rouge, betterave) et pas mal de fruits (orange, fraise, kiwi, mangue, goyave, cassis).

3. La vitamine D.

Essentielle pour la santé des os et des dents, elle joue aussi un rôle dans la maturation des cellules, notamment celles du système immunitaire. Sa carence favorise les maladies cardiovasculaires et l'apparition des cancers. Nous synthétisons cette vitamine en nous exposant au soleil : les rayons UV transforment alors certaines molécules de la peau en vitamine D. Mais le soleil que nous prenons pendant l'été n'est pas suffisant pour nous constituer un stock pour le reste de l'année. C'est ainsi que beaucoup d'entre nous manquent de vitamine D. Vous vous la procurerez dans le foie de bœuf, le lait de vache et les poissons (saumon, thon rouge, hareng mariné, sardines).

4. La vitamine E.

Bonne pour le cœur, elle a des propriétés anti-inflammatoires. Elle se cache dans les amandes, les noisettes, les céréales de son ou les avocats.

5 La vitamine K.

Elle intervient dans le processus de la coagulation du sang. Elle se niche dans les légumes verts (épinards, brocolis, choux de Bruxelles, asperges, laitues, haricots verts, petits pois) mais on la trouve aussi dans le kiwi.

Les vitamines B : une famille nombreuse

Les plus attentifs d'entre vous ont sans doute remarqué l'absence, dans le texte précédent, de la vitamine B. Pourtant, elle est tout aussi importante que les autres... Mais je ne devrais pas parler de

LA vitamine B mais DES vitamines B, tant elles constituent une grande famille. Il en existe pléthore : tout dépend du numéro qu'elles portent. Là encore, faisons le point ensemble.

1. La vitamine B1.

Elle intervient dans la croissance et la production d'énergie. En outre, elle participe à la transmission de l'influx nerveux. Elle se niche dans le porc, le germe de blé, les produits céréaliers à grains entiers et certains fruits et légumes comme l'orange et le pois vert.

2. La vitamine B2.

Comme sa copine la vitamine B1, elle joue un rôle dans la production d'énergie. Mais on a aussi besoin d'elle pour fabriquer des globules rouges, des hormones ou réparer certains tissus. Elle se niche dans les volailles, les mollusques, les œufs, les produits laitiers, sans oublier les noix.

3. La vitamine B3.

Elle permet une croissance et un développement normaux. Comme les précédentes, on la retrouve dans la production d'énergie. Voyez du côté du foie, du poulet rôti, de l'escalope de veau, sans oublier le thon, le saumon, la morue et les produits céréaliers à grains entiers.

4. La vitamine B5.

Entre autres qualités, elle permet de lutter contre le stress. Adresses multiples et variées : dans la viande, le saumon, la morue, les œufs durs, les abats, les champignons, les graines de tournesol...

5. La vitamine B6.

Vous en priver, ce serait mettre votre équilibre psychique en danger ! Mais elle a d'autres atouts : elle aide à la formation des globules rouges et à la régulation du taux de sucre dans le sang. Vous en voulez ? Allez donc voir du côté de la volaille, des poissons, des pois chiches en conserve, du foie ou des graines de sésame et de tournesol.

6. La vitamine B8.

Si je vous dis qu'elle est nécessaire à la transformation de composés comme le glucose et les gras, ça risque de ne pas vous parler. Mais faites-moi confiance, je vous dis que c'est important. D'où l'intérêt de manger du poisson, du chou-fleur, du foie, des abats mais aussi du jaune d'œuf et du soja.

7. La vitamine B9.

On l'appelle la vitamine de la femme enceinte ! Elle est donc pour vous si vous attendez un heureux événement. Elle cumule mille atouts : elle protège contre certaines malformations congénitales, participe à la fabrication des cellules du corps humain, joue un rôle dans la production de l'ADN, le fonctionnement du système nerveux et du système immunitaire. Par ailleurs, si vous cicatrisez facilement le jour de l'accouchement, ce sera aussi grâce à elle. Bref, bébé en a besoin et si vous êtes enceinte, ce n'est pas le moment de lésiner sur les légumes (épinards, asperge, laitue romaine, betterave...), les céréales enrichies ou encore les graines de lin et de tournesol.

8. La vitamine B12.

On n'a pas trouvé mieux pour l'entretien des cellules nerveuses. Mais cette vitamine donne aussi un coup de main dans la fabrication du matériel génétique. Vous la trouverez dans le lait, les poissons, les œufs, les viandes et les volailles.

À chacun son assiette : homme ou femme, adulte ou enfant, ado ou senior, tout le monde n'a pas les mêmes **besoins en calories**. Bien sûr, les choses peuvent varier en fonction des dépenses énergétiques quotidiennes des uns et des autres (le sénateur et le coursier à vélo n'obéissent pas vraiment au même tempo), mais il existe des notions qui font autorité. Les voici, en nombre de calories par jour :

– L'homme adulte : 2 100 à 2 500

– La femme adulte : 1 800 à 2 000

– La femme enceinte : rajouter 100 calories au premier trimestre, 200 au deuxième, 350 au troisième

– L'enfant, de 5 à 9 ans : 1 200 à 2 100

– L'adolescent : 2 900

– L'adolescente : 2 500

– Le senior : 2 600

– La senior : 2 100

Ces indications s'entendent pour les personnes ayant une activité faible à modérée. Celles et ceux qui bougent beaucoup ont évidemment des besoins supplémentaires.

Le mirage du light

Je le dis sans ambages : la notion de produits allégés constitue l'un des attrape-gogos alimentaires les plus aboutis de l'ère contemporaine. Vous les connaissez, ces produits : yaourts, chocolat, briques de lait parfumé, sodas, etc. Ils se repèrent aisément au magnifique « light » qui occupe généralement la moitié de l'emballage. On lit la formule et on achète, persuadé que par la magie du light power, on va pouvoir maîtriser sa ligne. Des clous ! S'il existait une police alimentaire digne de ce nom, elle devrait obliger les cerveaux du marketing et du packaging à inscrire, sur leurs emballages, 0 % sucre, 100 % arnaque...

Prenons l'exemple du chocolat. Il se fabrique à partir de la fève de cacao. Si, au cours de la transformation, vous n'y ajoutez pas de sucre, ça reste du cacao, c'est-à-dire un produit amer, immangeable. Goûtez, vous verrez. Alors que font les industriels ? Ils remplacent le sucre par un édulcorant mais surtout rajoutent des matières grasses dans le produit. Et le gras, au cas où cela vous aurait échappé, ça fait grossir. Les plus vertueux des chocolatiers (les plus chers aussi) utilisent du beurre de cacao. Les autres préfèrent la poudre de lait, si bien qu'à l'arrivée vous consommez un produit qui s'affiche sans sucre (ou presque) mais dont on ne vous dit pas qu'il a été mélangé à de la graisse pour, finalement, vous fournir plus de calories que vous n'en auriez avalées si vous aviez englouti une tablette classique !

Ne nous leurrons pas : il existe de nombreux produits dont le sucre ou le gras (ou les deux) sont des ingrédients indispensables. À partir du moment où on les réduit (ou les supprime), il faut bien les remplacer par quelque chose ! Dans la catégorie « produits allégés », prenez une brioche ou une glace ou un paquet de biscuits… Munissez-vous d'une loupe (voire d'un télescope). Lisez ce qui est inscrit sur l'emballage. Il y a de fortes chances pour que vous tombiez sur un ingrédient appelé « sirop de fructose-glucose ». Ce produit pallie l'absence de sucre classique. Ses promoteurs vous rassureront en vous disant qu'il est fabriqué à partir de produits naturels comme le blé ou le maïs. Mais ils ne s'attarderont jamais sur l'une de ses particularités : il contribue à augmenter la masse graisseuse ! J'ajouterai qu'il est aussi très efficace pour favoriser le diabète et encrasser artères et organes. En abuser, c'est à coup sûr augmenter le risque d'exposition aux AVC et aux crises cardiaques.

Cet épouvantable « sirop de fructose-glucose », on le retrouve aussi parfois dans les yaourts dits « allégés » avec lesquels l'arnaque peut prendre d'autres proportions. Le principe du yaourt allégé ? Très simple : le lait entier y est remplacé par du lait écrémé qui fournit un produit dont l'aspect crémeux laisse à désirer. Trop liquide, au goût des industriels (et des consommateurs). La solution ? Les feuilles de gélatine. On les ajoute donc au produit et on mélange. Miracle, l'onctuosité est là ! Pas de goût, pas d'odeur, mais une provenance qui peut poser problème : en effet, la gélatine provient généralement de carcasses animales, souvent de porcs, ce dont les consommateurs de confession juive ou musulmane, à moins qu'ils ne soient végétariens, ne sont pas forcément informés ! Mais sans doute l'industrie alimentaire considère-t-elle qu'à partir du moment où ils ne savent pas, le problème est réglé.

L'augmentation de la consommation de produits light, exponentielle depuis plusieurs années, est inversement proportionnelle à l'information du consommateur. Le degré de mensonge atteint des sommets tels que certains neuro-scientifiques n'hésitent pas à affirmer que consommer light fait tout simplement grossir ! Pour en arriver à cette conclusion, il leur a fallu décortiquer l'activité du cerveau d'une personne qui boit alternativement des sodas classiques (donc sucrés) et des sodas allégés (donc au goût sucré mais à base d'édulcorants).

Première observation, à l'issue de l'IRM : la zone de récompense du cerveau réagit différemment, selon que l'on ingère du soda classique ou du soda allégé. Dans le premier cas, elle est pleinement satisfaite. Dans le second, ce n'est pas le cas : la personne va donc compenser en mangeant plus au repas suivant.

La thèse de ces spécialistes repose sur une intuition simple : depuis la nuit des temps, le corps associerait naturellement l'énergie et le goût sucré. Qui boit un soda classique fournit ce goût sucré et cette énergie sous forme de calories à dépenser. Le cerveau est alors content. En revanche, qui absorbe un soda allégé fournit le goût sucré, certes, mais sans les calories ! Déçu, le corps aurait alors tendance à réclamer plus quand on se met à table, nous incitant à manger davantage que de coutume. Et donc à ingérer plus de calories que de raison.

Bien sûr, il existe des études qui disent le contraire. Mais elles sont souvent financées par des industriels qui prospèrent grâce aux édulcorants. À vous d'en tirer les conclusions...

En résumé, retenez que le light ne fait pas maigrir. Quand il ne fait pas tout bêtement grossir... C'est une invention qui, sous couvert de se préoccuper de votre tour de taille et de votre santé, permet aux géants de l'agroalimentaire de décliner un même produit sous plusieurs formes pour des raisons marketing : un produit d'une même marque existant sous deux formes (classique et allégée) occupera toujours plus de place dans les rayons des supermarchés que s'il n'existe que sous sa seule forme classique. Je connais même une boisson gazeuse de couleur brune qui se décline sous sa forme classique (étiquette rouge), sous sa forme « light » (étiquette grise), sous la forme « zéro » (étiquette noire) et sous sa forme « life » (étiquette verte). Quatre produits au lieu d'un seul ! L'attention du consommateur est d'autant mieux captée. Et les affaires d'autant plus juteuses...

La face cachée du bio

Depuis quelques années, la France s'est mise au bio. Plus qu'une mode, une nécessité qui répond au bon sens de tous ceux qui veulent se protéger de la malbouffe. Car la nourriture issue de l'agriculture biologique contiendra toujours moins d'engrais et de pesticides que celle, classique, dont nous a goinfrés l'industrie alimentaire depuis qu'elle a pris le pouvoir sur le contenu de nos assiettes. Il a en outre été démontré qu'entre autres bienfaits, le bio est meilleur que le conventionnel pour ce qui est de la teneur en fer, en magnésium, en antioxydants et en vitamine C, notamment pour la pomme de terre. Bref, c'est la fête au bio et tout le monde se rue sur les produits estampillés AB (pour Agriculture Biologique), quitte à dépenser plus, sans se douter qu'on nous cache deux ou trois petites choses sur lesquelles j'aimerais m'attarder ici.

Assurément, il rassure, ce label AB. C'est déjà mieux que rien. C'est la signature de l'Agence française pour le développement et la promotion de l'agriculture biologique, il appartient au ministère de l'Agriculture et il voisine, sur nombre de produits, avec ce qu'on appelle l'Eurofeuille, qui n'est rien moins que le logo bio de l'Union européenne. Et c'est bien là le problème. Les exigences de l'Europe, en matière de bio, sont moindres que celles du bio français quand il a créé son logo. Et comme la France s'est alignée peu ou prou sur les standards européens, elle est devenue moins exigeante, moins regardante, au point d'en arriver à accorder son logo AB à des produits sur lesquels il y aurait beaucoup à redire.

La faute à qui ? À la grande distribution... Constatant le succès du bio, alléchée par les profits qu'elle pouvait en tirer, elle s'en est emparée. Avec la bénédiction de Bruxelles, elle s'est efforcée de produire plus pour fournir plus, quitte à jeter aux orties quelques principes fondamentaux de l'agriculture biologique. C'est ainsi que les espaces d'élevage se sont agrandis, multipliant les risques sanitaires. C'est ainsi qu'on s'est mis à importer des produits dont la traçabilité est compliquée. C'est ainsi qu'est apparu le jambon labélisé bio sans que l'on s'attarde outre mesure sur les conditions de cuisson de la viande. Oh, simple broutille : elle est cuite avec un sel mélangé à du nitrite de sodium, histoire de s'assurer que le jambon restera bien rose, cette couleur ayant l'avantage de rassurer le consommateur. Bref, de concessions en concessions faites aux industriels du bio, le logo AB a un peu perdu son âme... D'autant que le bio n'est pas seulement une affaire de culture débarrassée de produits chimiques. C'est aussi une affaire d'éthique. Et sur ce plan-là, les industriels ne sont pas toujours (c'est un euphémisme) à la pointe du progrès social. Vous seriez attristés de découvrir, dans le sud de l'Espagne, les conditions de vie et de labeur de ces femmes et de ces hommes venus d'Europe de l'Est et qui, payés à la catapulte, cueillent de rouges tomates, de verts concombres et de pulpeuses fraises qui finissent dans les rayons bio de nos supermarchés.

Vous le savez, chez les écolos, quand il y a désaccord, il y a engueulade et scission dans la foulée. La vie politique française est là pour nous le rappeler à échéances régulières. Avec le label AB, ça n'a pas loupé. Quelques « purs et durs » du bio, soucieux de ne pas trahir les fondements de leur démarche, ont créé d'autres labels, non reconnus (donc non subventionnés), mais sur lesquels vous serez bien inspirés de garder un œil : Bio-Cohérence, Nature et Progrès, Demeter, tous moins laxistes que l'Europe, sans oublier les Amap et La Ruche qui dit Oui !, qui vous proposent de recevoir à échéance régulière des produits alimentaires issus de l'agriculture paysanne. Avec eux, on sait qui produit, et dans quelles conditions. Car le bio, c'est bien, mais c'est encore mieux quand on sait d'où ça vient.

En marge de la folie du bio, se développe une pratique : le **locavorisme**. Comprenez l'art de manger local. Ce terme a fleuri dans le cortex d'une Californienne, il y a une dizaine d'années. Son nom : Jessica Prentice. Son obsession : ne manger que des choses produites à moins de 100 miles de sa maison. En agissant ainsi, elle fait diminuer le coût carbone de son assiette, se satisfait de fruits et de légumes de saison, frais, et tisse un lien privilégié avec les agriculteurs qui la fournissent. Appliqué à la France, 1 mile équivalant à 1 609 mètres, le locavoriste que vous serez peut-être bientôt pourra s'approvisionner dans un rayon de 160 kilomètres et 900 mètres. Allez, 161 kilomètres, j'arrondis, c'est cadeau...

2

Les bonnes habitudes

Le piège du plateau télé

Ah, le plateau télé ! Une institution... Surtout pour celles et ceux qui ont pris l'habitude de manger en solo. Mais autant certaines institutions ont du bon et imposent le respect (l'école, l'Académie française, les Nations unies...), autant celle-ci (le plateau télé, donc...) mérite qu'on la remette en cause, ce à quoi je m'emploie volontiers !

Dans « plateau télé », il y a deux choses : un plateau et une télé (jusqu'ici, personne ne me contredira). Eh bien, c'est une chose de trop !

Vous devez prendre conscience d'une chose : devant la télé, tout le monde a tendance à écourter la mastication et à manger plus rapidement. C'est mécanique. Or, en ne prenant pas le temps de faire ce que vous avez à faire, à savoir vous alimenter, vous risquez de vous gaver plus que de raison : il faut en effet une vingtaine de minutes pour que votre estomac informe votre cerveau que votre organisme est arrivé à satiété. En conséquence, moins vous prenez le temps de manger, moins vous laissez à votre organisme le temps de jouer son rôle d'alerte.

En outre, vos yeux sont les premiers stimulateurs de vos glandes salivaires (rappelez-vous le chien de Pavlov : il salivait quand il voyait la viande). Et si vos yeux sont rivés sur la lucarne magique, ils ne peuvent remplir pleinement leur mission. En un mot comme en cent, vous n'êtes pas concentré sur ce que vous faites et votre système digestif, un rien rancunier, se fera un plaisir de vous le rappeler à la première occasion. On ne peut pas regarder Drucker tout en matant son assiette !

Dites-vous bien que dans « **plateau télé** », il y a à voir et à manger... Et à un moment, que voulez-vous, il faut choisir. Voir. Ou manger. Voir. Puis manger. Manger. Puis voir. Faites les choses dans l'ordre que vous voulez, mais pas les deux en même temps !

Petit déjeuner : osez les protéines !

Le répéterai-je jamais assez ?

Le petit déjeuner est sans doute le repas le plus important de la journée. Sauf à avoir fait des agapes pantagruéliques la veille, il est normal d'ouvrir l'œil avec un petit creux à l'estomac. Seulement voilà, il y a des matins comme ça où, entre un réveil diesel et un départ turbo, on expédie la douche et on sacrifie le « p'tit déj », le tout en moins de 15 minutes chrono. Certains d'entre nous ritualisent même la chose en espérant maigrir, moyennant quoi ils se fourrent le doigt dans l'œil alors qu'ils feraient mieux de le mettre dans la confiture. Ce serait un moindre mal : quitte à faire des excès (confiture, bacon, viennoiseries), mieux vaut que ce soit le matin, car on a ensuite toute la journée pour éliminer alors que le soir, on se couche, on dort, on stocke...

Maintenant, vous pouvez aussi décider d'en finir avec le petit déjeuner à la française, qui s'apparente à un festival de sucres rapides et de graisses pas toujours recommandables puisqu'on y croise, outre la confiote, le beurre, le pain et le croissant. Cherchez l'erreur... Ou plutôt, cherchez les protéines... On en trouve rarement, au petit matin, sur les tables de nos cuisines. Et c'est dommage, parce que les protéines constituent le carburant indispensable à notre organisme. Elles doivent nous permettre d'arriver en toute sérénité à l'heure du déjeuner (qui se voudra léger), sans connaître le petit creux de 11 heures... Aussi, n'hésitez pas à innover : le blanc (de poulet ou de dinde), les œufs (sous toutes leurs formes), le fromage blanc (le moins sucré possible) garantissent une alimentation variée, copieuse et surtout équilibrée dès potron-minet, à condition d'y ajouter quelques fruits pour les fibres, le tout arrosé de thé ou de café, pour les accros.

Pour finir, un conseil, ultime, mais susceptible de balayer tout ce qui précède : ne vous forcez jamais à manger si vous n'avez pas faim. Si c'est votre cas le matin, désolé, j'aurais peut-être dû commencer par là...

Évitez de grossir

Pour affiner sa silhouette, pour perdre du poids, il y a beaucoup à faire dont foule de conseilleurs vous rebattent les oreilles avec une régularité qui les honore : manger équilibré, bouger un minimum, entre autres choses... Mais il y a aussi beaucoup à NE PAS FAIRE ! Car bien des kilos superflus sont dus à de mauvaises habitudes dans lesquelles notre quotidien s'est installé.

Ainsi, le fait de manger juste avant d'aller se coucher est la pire des idées. D'abord parce que ce besoin, quand il existe, est rarement dû à la faim mais témoigne plutôt d'une forme d'anxiété. Ensuite parce qu'il conduit généralement à préférer le sucré et les calories qui, souvent, vont avec...

Mais dénoncer le sucré ne veut pas dire qu'il faille faire dans l'excès en matière de sel ! C'est pourtant ce qui se passe. On a parfois tendance à trop saler les plats, ce qui affecte la pression artérielle et augmente la rétention de liquide. Tout cela finit par se lire sur la balance.

Autre habitude dont il faut se débarrasser : le repas TGV. Il ne s'agit pas là d'une agression contre la SNCF, honorable entreprise de transport (quoiqu'il y aurait pas mal de choses à dire sur le prix du croque-monsieur tout mou...), mais plutôt d'une dénonciation de la rapidité avec laquelle nous avalons nos repas. Manger en moins de 20 minutes est une folie. Il faut prendre le temps de mastiquer pour avoir une meilleure sensation de satiété. Le cerveau a besoin de temps pour enregistrer le fait que vous avez mangé. Plus vite on se sent repu, moins on mange, moins on grossit. En outre, un repas, quel qu'il soit, mérite que l'on s'y consacre entièrement : il faut donc savoir résister aux exigences tyranniques de la vie moderne, qui peuvent nous conduire à faire autre chose (regarder la télé, tripoter son portable) tout en mangeant. Cette sale habitude nous distrait de ce que nous faisons et nous conduit insidieusement à manger plus que de raison.

Reste à parler de ce qui se passe entre les repas : nous ne buvons pas assez d'eau, ce qui favorise la rétention de liquide. Nos reins fonctionnent alors au ralenti et n'éliminent pas suffisamment les déchets qui polluent notre organisme.

En résumé, manger vite, trop salé, en faisant autre chose, juste avant d'aller au dodo et sans avoir abondamment bu préalablement, c'est le Top 5 des choses à bannir. En vous débarrassant de l'un ou de plusieurs de ces mauvais réflexes, vous éviterez de prendre du poids.

Une portion, c'est quoi ?

Rien n'est plus vague que la notion de portion. Quelles sont ses dimensions ? Comment la mesurer ? Faut-il peser la nourriture ? Rien de tout cela. Pour vous y retrouver, vous n'avez besoin que de vos mains et d'une assiette...

Une portion de fruit se mesure en fermant le poing. Vous mangez des fraises ? Servez-vous un volume qui correspond grosso modo à celui de votre poing fermé. Une pomme ? Ça fera l'affaire. Une poire ? Pareil. Des mandarines ? Prenez-en deux, ça vous fera une portion.

Maintenant, desserrez le poing et joignez vos deux mains en corolle. Remplissez-les de légumes : vous avez votre portion (mais soyez un peu plus chiche si vous optez pour le maïs, les pois verts ou les pommes de terre).

Envie d'un bout de fromage ? Ne vous privez pas. Levez l'index et le majeur, rapprochez-les et vous avez la taille d'une portion.

Un peu de viande, de volaille, de poisson ? Ouvrez votre main et servez-vous une quantité de la taille de la paume de votre main.

S'il fallait transposer ces petites manips au contenu de votre assiette, ce serait par la magie de « la règle des quatre quarts ». Mettez une assiette devant vous. Divisez-la (virtuellement) en quatre. Vous obtenez quatre quarts (niveau CM1). Eh bien, la portion de viande doit occuper un quart de l'assiette. Celle de féculents un autre quart. Et les deux derniers quarts (donc la moitié de l'assiette) seront réservés aux légumes.

À côté de l'assiette, posez un yaourt et une portion de fruit : vous vous apprêtez à manger équilibré.

L'art de la digestion

Je ne le répéterai jamais assez : une bonne digestion passe par une alimentation saine et équilibrée. Mais cela ne suffit pas : il faut aussi adopter quelques habitudes qui soulageront votre estomac et faciliteront votre transit.

Sans doute avez-vous remarqué que vous avez des dents ? Trente-deux, pour être précis. Tous les dentistes vous le confirmeront... Eh bien l'idée, c'est de ne pas oublier de s'en servir ! En évitant la surconsommation de mets mous (comme les yaourts et le pain de mie) et en privilégiant les aliments qu'il faut broyer, vous ferez bosser vos dents. Mâchez ! Mâchez encore ! Mâchez toujours ! Mâchez tant et plus ! Les aliments, réduits en bouillie après avoir été mélangés aux enzymes de la salive, seront accueillis avec bénédiction par votre organisme. Il suffit juste d'être conscient de la chose et donc de prendre le temps de manger lorsque vous vous mettez à table. Tenez-vous-le pour dit : déjeuner ou dîner en cinq minutes, c'est déclarer la guerre à votre petit bidon qui, tôt ou tard, se vengera...

Par ailleurs, buvez-vous de l'eau ? Non ? Il est urgent de vous y mettre ! Oui ? Parfait ! Mais attention : videz vos bouteilles entre les repas plutôt que pendant les repas. Un verre à table, c'est bien. Mais trop d'eau finit par perturber l'action des enzymes, primordiale pour une bonne digestion.

Enfin, faites un bon usage des fruits. Leur consommation, au risque de me répéter, est évidemment excellente pour votre santé. Certains recommandent de les avaler en dehors des repas, d'autres estiment que ce conseil ne repose sur rien de scientifique (voir le chapitre consacré à la naturopathie) mais ne retenez que l'essentiel : il ne faut pas s'en priver.

Ayez l'alcool intelligent

Il est à l'origine de 45 000 morts par an, représente la deuxième cause de mortalité « évitable » après le tabac, est impliqué dans nombre d'accidents, de la route ou du travail et, à terme, dans une ribambelle de pathologies parmi lesquelles les cancers (bouche, gorge, intestin, foie), les maladies cardio-vasculaires, l'hypertension artérielle, les cirrhoses du foie... Je vais m'arrêter là, histoire de ne pas vous gâcher le plaisir de ce petit verre qu'il vous arrive de boire, car vous avez évidemment capté que j'aborde un problème majeur de santé publique : la consommation excessive d'alcool...

J'insiste sur le qualificatif quantitatif : « excessive ». Car je ne voudrais pas donner l'impression que je m'en prends à la consommation d'alcool, ce qui, dans un pays comme la France, reviendrait à prendre le double risque de se mettre à dos tout un secteur industriel et de passer pour le rabat-joie de service auprès de ses contemporains. Donc, qu'on ne se méprenne pas, je suis le premier à claironner que « boire un petit coup c'est agréable » mais je recommande, en la matière comme en toute chose, la modération et l'information. Donc, boire, oui, mais boire intelligemment...

Boire intelligemment, c'est d'abord éviter de boire à jeun. Il est essentiel que vous mangiez avant, car les aliments ralentissent le passage de l'alcool dans le sang. Le taux d'alcoolémie atteint son maximum en 30 minutes lorsqu'on boit à jeun et en une heure au cours d'un repas.

Boire intelligemment, c'est prendre le temps de goûter, de déguster. La lenteur, dont je fais ici l'éloge, est une manière de définir assez précisément ce que l'on aime ou pas dans ce qu'on boit. En général, la première gorgée fait exploser arômes et saveurs. Les gorgées suivantes sont moins intenses mais aussi moins savoureuses, pour finir par être dénuées d'intérêt. Vous devez être à l'affût de cet instant particulier où vos papilles gustatives sont saturées. Et en déduire qu'il est temps d'arrêter de boire.

Boire intelligemment, c'est savoir se limiter aux alcools que l'on préfère. Certains sont plus agréables que d'autres : acceptez ceux que vous préférez, refusez les autres !

Boire intelligemment, c'est aussi savoir dire non ! Il est essentiel de faire jouer sa liberté de boire ou de ne pas boire. On évite ainsi de se laisser influencer par l'effet de groupe ou par les autres ; et on ignore ceux qui ont la fâcheuse tendance à propager l'idée selon laquelle « Quand on ne boit pas, c'est qu'on n'aime pas faire la fête ! »

Boire intelligemment, c'est être conscient de ce qui se passe dans l'organisme dès la première gorgée. L'alcool est absorbé au niveau de la paroi de l'intestin grêle et passe dans la circulation sanguine.

En quelques minutes, il est transporté dans tout l'organisme, notamment au niveau d'un organe particulier : le cerveau, pour être ensuite éliminé de notre corps. 5 % sont évacués par les reins (sous forme d'urine), la peau (la transpiration), les poumons (l'air expiré) et la salive. Le reste, c'est le foie qui s'en charge. Il œuvre à hauteur de 95 % dans l'élimination de l'alcool. Nous lui devons beaucoup : il agit comme une petite station d'épuration en détoxifiant le sang de l'alcool qu'il renferme (une, parmi ses quelque 500 fonctions essentielles !). Si vous abusez, il saura vous le faire savoir à sa manière : dans les cas les plus graves, l'alcool peut être responsable d'hépatites (inflammations du foie) ou de cancer du foie.

Boire intelligemment, c'est enfin penser à répartir les verres d'alcool au fil des repas et des journées de la semaine. L'apport calorique de l'alcool est en effet loin d'être négligeable. Et si cet apport est trop élevé par rapport aux besoins de votre organisme, vous stockez. Et qui stocke grossit ! Vous grossissez d'autant plus que la molécule d'alcool, une fois transformée par le corps, renforce le stockage des aliments gras et sucrés par la grâce d'une réaction chimique dont je vous épargne la complexité.

Alcool et calories. Il n'y a pas d'alcool réellement moins calorique : 3 cl de whisky, 12 cl de vin, une coupe de champagne ou un demi de bière apportent à peu près le même nombre de calories : entre 80 et 210.

– un verre de vin de 12,5 cl contient environ 100 calories,

– une bière 140 calories,

– une coupe de champagne entre 80 et 120 calories,

– un verre de martini 210 calories !

Et je ne vous parle pas des cocktails où s'additionnent jus de fruits, sucre de canne et lait de coco : une usine à calories ! Aussi, si ce type de mélange vous plaît, choisissez de mixer l'alcool avec des jus de fruits ou de légumes purs 100 % naturels, plutôt que des boissons gazeuses ou aromatisées. Non seulement leur valeur nutritionnelle est faible, mais en plus elles sont souvent à base d'édulcorants. Associé à une boisson sucrée artificiellement, l'alcool passe plus rapidement dans le sang ; le taux d'alcoolémie grimpe alors en flèche.

L'alcool est un menteur

« Un verre ça va, trois verres bonjour les dégâts », vous vous rappelez ? Et ceci : « Tu t'es vu quand t'as bu » ; vous vous rappelez aussi ? Depuis des décennies, les publicitaires rivalisent de créativité pour, à grands coups de slogans inoubliables qui font leur fortune, nous alerter sur les dangers que représente l'abus d'alcool. Mon approche sera sans doute moins amusante, mais plus scientifique et axée sur le conseil... Quoique je puisse, moi aussi, céder à la mode du slogan. Dans ce cas, j'inventerais volontiers un truc du style : « L'alcool vous ment ! »

Qui n'a jamais cédé à l'euphorie du champagne ? Qui n'a jamais goûté cette sensation de bien-être qui vous envahit, vous fait rire aux éclats et parler avec brio, une coupette à la main ? Attention, l'alcool vous ment ! Les boissons à bulles qui contiennent du dioxyde de carbone provoquent une élévation du taux d'alcoolémie plus rapide que les autres. Les bulles faciliteraient le passage de l'alcool dans le sang. De plus, en accélérant la vidange de l'estomac vers l'intestin, elles entraîneraient une absorption plus rapide de l'alcool dans l'intestin grêle.

Comme vous le voyez, il s'en passe, des choses, dans votre petit corps de rêve, quand l'alcool (champagne ou autre) y coule à flots ! Il s'en passe, jusque dans le cortex : la désinhibition agit, vous vous sentez invulnérable alors qu'en réalité vous l'êtes plus que jamais...

Oui, l'alcool vous ment ! Car pendant que vous rigolez, il agit en douce sur votre système nerveux central. Donc, pour ne pas en décupler les effets, en raison du potentiel de dangerosité que cela représente, il convient de ne pas l'associer à d'autres substances psycho-actives, comme par exemple les médicaments anxiolytiques ou des drogues comme le cannabis (dont je rappelle aux amnésiques que la consommation est théoriquement interdite, alcool ou pas...). Il existe une synergie renforçatrice entre tous ces produits dont les effets dépresseurs conjugués sont exponentiels.

Oui, l'alcool vous ment ! Il peut avancer masqué, maquillé par des marketeurs de talent, caché dans les bières aromatisées, les rosés-pamplemousse et autres blancs-pêche qui fleurissent aux terrasses des cafés et dans les soirées. Ces boissons prétendument haut de gamme rencontrent un succès croissant. Colorées, fraîches, au goût agréable, sans amertume, faciles à boire, elles cachent bien leur jeu en parvenant à faire oublier qu'elles sont alcoolisées ; on en prend et on en reprend, vu qu'on ne sent rien... Mais elles vous préparent les mêmes effets secondaires qu'un alcool classique...

Vous buvez, vous êtes bien, vous avez chaud, vous vous découvrez... Attention, l'alcool vous ment ! N'oubliez jamais que les sensations qu'il produit sont trompeuses. Cette chaleur qui vous gagne le verre à la main n'est due qu'à une dilatation des vaisseaux sanguins sous la peau. L'alcool, en effet, ne fait que déplacer la chaleur interne pour l'apporter à la surface de l'organisme.

Vous êtes toujours aussi bien, vous vous autorisez un énième « petit dernier », vous avez encore plus chaud. Et pourquoi pas une cigarette ? L'alcool est un puissant stimulant de l'envie de fumer. Après tout, culturellement, les deux gestes sont fortement associés. Vous ne le sentez pas, mais votre corps souffre. En silence. Il garde l'info pour lui. Lui aussi vous ment ! Par omission. Sous l'influence de l'alcool. Car pendant que vous rigolez, les reins carburent et le foie tourne à bloc. Les reins ? Ils sont fortement sollicités pour éliminer l'alcool, et pour cela, ils utilisent principalement de l'eau. Conséquence, vous vous déshydratez. Ah, tout ce liquide ! À boire sans soif, vous croyez vous hydrater ? C'est l'inverse qui se produit. Mais comment le savoir, puisque l'alcool vous ment ! Quant au foie, il métabolise l'éthanol. Ce faisant, il le transforme en acétaldéhyde et c'est à ce stade que les choses menacent de dégénérer. Cette substance peut en effet causer des nausées, des vomissements, des sueurs... Si vous avez forcé, le moment de payer l'addition arrive, et elle sera d'autant plus salée, l'addition, que l'organisme déshydraté est soumis à un stress généralisé.

Alors vient le temps des regrets : « J'aurais pas dû. » Et celui des résolutions : savoir se contenter de 4 verres standards en une seule occasion, la consommation ponctuelle excessive conduisant à l'ivresse et à l'intoxication alcoolique aiguë, toxique pour l'organisme.

L'alcool, ce gros menteur, a un autre défaut : il ignore la parité. Femmes et hommes sont inégaux devant sa puissance mensongère. À consommation égale, vous êtes, Mesdames, plus sensibles à ses effets que vous, Messieurs. C'est un fait biologique. Le sexe n'est d'ailleurs pas le seul paramètre à influer sur l'élimination sanguine. La corpulence, l'âge, le patrimoine génétique sont aussi des facteurs à prendre en considération pour comprendre les différences face aux effets de l'alcool et de sa toxicité.

Gènes et alcool. Bonne nouvelle : l'alcoolisme n'est pas une maladie génétiquement transmissible. Quoique, comme souvent, les choses soient plus subtiles... Il existe des gènes qui sont associés à des types de comportement, notamment les comportements d'addiction. Concrètement, quand le père souffre de dépendance à l'alcool, on a plus de risques de devenir alcoolique soi-même. Mais souvent, les enfants d'alcooliques sont des abstinents dits de première intention, c'est-à-dire qu'ils ne boivent pas d'alcool, parce qu'ils ont enduré les effets qu'il pouvait produire sur le comportement des parents. Sur ce, à la vôtre ! Modérément...

Réduisez votre consommation d'alcool

Nombreux sont celles et ceux qui, sans se considérer comme des alcooliques, au nom de la convivialité ou par la force de l'habitude, ont laissé l'alcool s'installer dans leur vie. Subrepticement. S'en jeter un à la moindre occasion a viré au réflexe et, ce faisant, a fait d'eux des alcooliques mondains qui s'ignorent, dernière étape avant de sombrer dans l'alcoolisme tout court. En prendre conscience est un préalable à l'action. Et l'action consiste en de petites choses qu'il convient de faire, de petites habitudes qu'il convient d'adopter, de petites questions qu'il convient de se poser. Ne les prenez pas à la légère : bien qu'anodines, elles sont d'un immense secours !

Vous êtes-vous interrogé sur les raisons qui vous incitent à boire ? Ce qui déclenche votre envie ? Du stress professionnel à la volonté de vaincre sa timidité, il existe mille prétextes (discutables). En les repérant, il vous sera plus facile d'éviter de vous retrouver systématiquement dans des circonstances propices à la consommation d'alcool. De même, vous êtes-vous interrogé sur les (bonnes) raisons qui pourraient vous conduire à réduire votre consommation ? Y réfléchir, c'est à coup sûr en trouver, qui soient autres que les conséquences positives évidentes que cela aurait sur votre santé et votre bien-être. Vous devez en passer par là pour que la démarche soit efficace. Que souhaitez-vous ? Avoir plus d'énergie ? Contrôler vos accès de colère ? Améliorer votre rapport à autrui ? Mieux dormir ? Prendre soin de votre peau ? Donner l'exemple ? Chacun, en fonction de son mode de vie, est capable de répondre à ce type de questions. À condition de bien vouloir prendre le temps de se les poser...

Quant aux « trucs » qu'adoptent au quotidien ceux qui savent apprécier l'alcool sans en devenir les esclaves, ils ont, eux aussi, fait leurs preuves.

Pourquoi ne pas essayer le *slow drinking* ? Concrètement, buvez des petites gorgées et posez votre verre entre chacune d'elles. Oui, posez-le ! Cela peut paraître idiot mais poser son verre, c'est à coup sûr réduire la fréquence du geste. Et si votre verre se vide à un rythme assez lent, votre taux d'alcoolémie grimpera plus lentement. Évident, limite enfantin, n'est-ce pas ? Oui, mais efficace : on résiste plus facilement à la tournée suivante si le verre est encore plein au moment où elle vous est proposée.

Quand vous buvez un verre d'alcool, prenez le temps de le savourer, faites durer le plaisir, buvez des petites gorgées et gardez-les suffisamment longtemps dans la bouche pour profiter de la saveur de votre boisson. Prenez exemple sur les sommeliers : eux aiment le vin et savent le boire !

Vous pouvez aussi vous lancer des défis. Ainsi, si vos habitudes vous conduisent à consommer de l'alcool tous les jours, vous pouvez, pour réduire votre consommation, opter pour la sobriété un, voire deux jours par semaine. Le troisième n'en sera que plus appréciable et apprécié. Pour autant, cela ne doit pas vous conduire à compenser ces 24 ou 48 heures d'abstinence en buvant plus les autres jours...

Essayez, dans la mesure du possible, de repousser au plus tard dans la journée la prise de votre premier verre. Par exemple, abstenez-vous de boire au cours du déjeuner, surtout s'il fait chaud car, ne l'oubliez pas, l'alcool déshydrate.

Au cours d'une même soirée, ne mélangez pas plusieurs sortes de boissons alcoolisées. Ne cédez pas à l'enchaînement classique : apéritif + vin blanc + vin rouge + digestif... Choisissez un type de boisson et tenez-vous-y.

Organisez votre consommation d'alcool : lorsque vous savez que vous allez boire, fixez-vous à l'avance le nombre de verres que vous ne voulez pas dépasser au cours de la soirée. L'idéal étant de ne pas aller au-delà de 4 verres, si vous ne conduisez pas, bien sûr !

Enfin, si vous souhaitez réduire votre consommation, faites-le savoir ! Informez-en votre entourage, vos amis, votre famille... Demandez-leur, sans ambages, de vous aider à tenir cette résolution. Et ne prenez pas mal les quelques remarques qu'à l'occasion, ils se permettront de vous faire. Ils vous aiment...

Gérez le verre de trop

Qui peut se vanter d'être à l'abri de la veisalgie ? Notez-le : la veisalgie, c'est le terme médical pour la gueule de bois. Alors qui ? Pas grand monde. Même pas moi, c'est dire... Hum... Même si l'on a la réputation d'être sobre, il suffit d'une petite fiesta où l'on enchaîne deux verres et trois coupettes pour, le lendemain, se réveiller avec le casque à pointe (avec la pointe à l'intérieur). L'essentiel est que ça n'arrive pas trop régulièrement... Mais quand ça arrive, sachez qu'il existe quelques solutions pour s'en remettre.

Vaseux ? Nauséeux ? La bouche sèche ? La tête comme un tambour ? Envie de mourir ? Commencez par boire de l'eau. J'insiste : de l'eau... Lorsque vous buvez de l'alcool, vous faites bosser vos reins plus que de raison. Pour éliminer l'alcool, ils utilisent de l'eau. Et vous savez où ils la trouvent ? Pas à la fontaine du coin mais dans votre organisme. Conséquence logique : vous vous déshydratez. D'où la nécessité de boire plus que de coutume : du robinet ou en bouteille, on n'a pas trouvé mieux que l'eau pour se remettre d'aplomb. Je recommande un verre d'eau entre deux verres d'alcool. Tout autre breuvage ne ferait que compliquer la situation : le café, avec ses effets diurétiques, vous déshydrate un peu plus et accélère le rythme cardiaque ; quant aux jus, d'orange ou de pamplemousse, ils risquent d'être trop acides pour que vous les supportiez.

Ensuite mangez ! Oui, mangez ! Les lendemains de fête, on a parfois l'impression qu'on ne peut rien avaler. Erreur : il faut se forcer un peu. Mais attention : ça ne veut pas dire que je vous donne carte blanche pour finir les cacahuètes et le gâteau à la crème de la veille ! Snobez le gras et optez plutôt pour quelques légumes bouillis : ça reposera votre foie et votre estomac qui, eux aussi, ont trinqué...

Sinon, sachez qu'il existe un moyen infaillible, ancestral, imparable, qui marche à tous les coups, mille fois testé, toujours gagnant (et gratuit en plus !) de lutter contre la gueule de bois : éviter de l'avoir... Comment ? En levant le pied plutôt que le coude. À vous de voir...

Votre réfrigérateur est une usine à microbes

Imaginez-vous vivre sans réfrigérateur ? Non, bien sûr. Il fait partie des meubles, au propre comme au figuré et il est indispensable à notre mode de vie. Mais êtes-vous certains de le traiter comme vous devriez le faire ? D'être aux petits soins avec lui, donc indirectement avec vous-mêmes ?

Je vous dois une explication...

Il ne vous a pas échappé que le frigo renferme tout un tas de choses qui finiront tôt ou tard dans votre organisme. Et la nourriture, il faut y faire attention. Un frigo mal entretenu peut se transformer en usine à microbes. Vous objecterez que les bactéries ne résistent pas au froid. À tort ! Avec leurs petits bras musclés, elles développent des défenses et s'accommodent fort bien des basses températures.

Voilà pourquoi il est indispensable que votre réfrigérateur soit nettoyé deux fois par mois. Et c'est un minimum... N'utilisez pas de produits ménagers, encore moins d'eau de javel : vous risqueriez d'en retrouver le goût dans vos aliments. Imbibez plutôt votre éponge avec un mélange d'eau et de vinaigre d'alcool et le tour sera joué. Ne restera plus qu'à passer un coup de chiffon pour sécher. Alors seulement, vous pourrez le remplir de nouveau, non sans avoir préalablement emballé avec soin les produits entamés. Bref, un frigo, c'est du boulot !

Assainissez l'air ambiant

Vous ne détestez pas votre intérieur et vous avez bien raison : il est important de vivre dans un cadre agréable, que vous avez conçu à votre image et où vous vous sentez bien, particulièrement durant les mois d'hiver où l'on reste plus volontiers chez soi.

D'où la nécessité d'assainir l'air que vous y respirez. Car entre l'humidité, les moisissures, les revêtements en tous genres et les appareils à combustion (liste non close), vous vous exposez tôt ou tard à des allergies, des irritations ou des maux de tête.

La première chose à faire est donc d'aérer votre intérieur. Qu'il pleuve, qu'il vente, qu'il neige ou que le soleil resplendisse, quelle que soit la température extérieure, vous ne devez pas faire l'économie d'un geste simple qui consiste à ouvrir les fenêtres. Quelques minutes suffisent mais elles sont essentielles pour diminuer la pollution de cet air qui finira dans vos poumons.

En marge de ce réflexe, vous pouvez avoir recours aux huiles essentielles. Mieux vaut s'en procurer dans les magasins spécialisés disposant d'un spécialiste en aromathérapie que sur internet, leur transport requérant un minimum de douceur. Qu'elles soient de lavande, de romarin, d'eucalyptus, de thym, de pamplemousse ou de pin, elles concourent à purifier et à parfumer l'air ambiant. Leurs pouvoirs antibactériens et antiviraux augmentent vos chances de traverser les saisons avec tranquillité. Grâce à elles, vous respirerez mieux. Pour les diffuser (toujours à froid), vous pouvez utiliser un nébuliseur, pendant 15 minutes dans une chambre et une demi-heure dans la salle de séjour. Ce sera toujours plus sain que d'utiliser les bougies parfumées dont beaucoup émettent des gaz et polluent l'air plus qu'elles ne le purifient.

Pour chasser les petites odeurs qui pourraient vous empoisonner la vie (à défaut de vous empoisonner tout court), vous disposez d'un allié : le **bicarbonate de soude**. Mettez-en deux cuillerées dans une coupelle et laissez agir ; les mauvaises odeurs seront absorbées.

Opération « mains propres »

C'est le geste le plus banal et le plus simple du monde. Et pourtant, 95 % des gens l'accomplissent mal, ou à moitié. Oui : 95 % ! De quoi s'agit-il ? Attention, vous allez tomber à la renverse : 95 % des gens ne savent pas se laver les mains correctement !

Allons bon...

Il y aurait donc une technique du lavage de mains ? Un art du savonnage ? Un savoir-faire du frottage ? Et plus de 9 personnes sur 10 en ignoreraient les secrets ? Apparemment oui : c'est en tout cas la conclusion à laquelle sont parvenus les très sérieux chercheurs de la non moins sérieuse université du Michigan qui, soit dit au passage, épinglent plus particulièrement les hommes...

On sait que les Américains ont tendance à dramatiser les choses. On sait aussi qu'alerter, c'est bien, mais conseiller, c'est mieux. Alors allons-y...

Se laver les mains ne se résume pas à les passer sous l'eau. Il faut aussi les savonner, et pas qu'un peu : 20 secondes de savonnage minimum, c'est ce qui est recommandé pour une hygiène parfaite.

Par ailleurs, se laver les mains ne se résume pas non plus à ne se laver QUE les mains. Il faut aussi penser aux poignets : c'est la condition *sine qua non* pour éliminer toute trace de germes. Il convient aussi d'être précis, limite maniaque : vous veillerez donc à frotter entre les doigts et à insister sur la paume : c'est à ce prix que vous vous débarrasserez de toutes les bactéries qui prennent un malin plaisir à s'y déposer.

Enfin, sachez qu'il existe mille bonnes raisons de se laver les mains à plusieurs reprises dans la journée (et notamment le soir où l'on est plus décontracté et donc plus enclin à se laisser aller). Cela s'impose après un passage aux toilettes (désolé de le préciser mais il semble que cette évidence échappe encore à l'attention de certains de nos contemporains), mais aussi après avoir pris les transports en commun, après s'être mouché, après avoir actionné des poignées de portes, tripoté son portable, tenu un volant, avant de faire la cuisine ou encore avant de passer à table...

L'enjeu, vous l'aurez compris, dépasse la propreté des mains, ne serait-ce que parce que nous avons tous l'habitude de nous toucher le visage où la bouche, les yeux et le nez sont des portes d'entrée royales pour les virus. Une bonne hygiène permet donc de limiter, voire d'éviter, la propagation des virus et des infections, surtout l'hiver. Se laver les mains est d'ailleurs le principal moyen de prévenir le rhume. Le conseil vaut pour vous et *a fortiori* pour les enfants qui, avant l'âge de 6 ans, sont particulièrement vulnérables, leur système immunitaire n'étant pas encore parvenu à maturité.

Caféine : allez-y mollo si vous êtes enceinte

Vous aimez le café. Vous en buvez régulièrement. Je vous comprends, ça n'est pas désagréable. Mais vous êtes enceinte : il faut donc adapter votre comportement.

La bonne nouvelle, c'est que, contrairement à une idée qui circule, vous n'êtes pas obligée d'arrêter. Il faut simplement modérer votre consommation : deux, allez, trois tasses grand maximum par jour. Parce que je suis cool.

L'explication ? Elle est simple.

Le café contient de la caféine. C'est un excitant. Et une femme enceinte a surtout besoin de tranquillité. Mais ce n'est pas tout... Les chercheurs de l'Institut national de la santé et de la recherche médicale (Inserm) ont eu la bonne idée de donner de la caféine à des souris. Et ils en ont conclu qu'elle était néfaste au développement du fœtus de Mickey et Minnie Mouse... Mieux, ou pire : elle rend plus sensible aux crises d'épilepsie.

Bien sûr, il ne m'a pas échappé que vous n'étiez pas une souris. Mais une femme ! Une femme d'autant plus splendide qu'elle s'apprête à donner la vie ! Mais bon... Il y a de fortes chances pour que ce qui ne convient pas aux rongeurs ne vous convienne pas non plus. Simple principe de précaution...

Dernière chose : ce n'est pas tant le café qui est en cause que la caféine. Or, la caféine, on en trouve également dans le thé. Donc là aussi, limitez-vous à une ou deux tasses par jour. Et puis, la caféine est aussi présente dans certaines boissons gazeuses, dont l'une, très célèbre, commence par Coca et se termine par Cola. Là encore, soyez raisonnable, d'autant que le soda n'est pas très bon pour la ligne. Et en ce moment, vous n'avez pas besoin de cela pour vous arrondir...

Crèmes hydratantes : indispensables et scandaleuses

Quand il pleut, vous pouvez mettre un bonnet, une écharpe, vous emmitoufler autant que possible, accumuler les épaisseurs, rien n'y fera : votre visage restera toujours à l'air libre. Alors autant le protéger et en soigner la peau.

Comment ?

Comme ça...

D'abord, vous devez penser à nettoyer votre peau, mais à le faire en douceur. Pour ce faire, le matin comme le soir, utilisez une eau thermale plutôt que de l'eau du robinet. Cette dernière a tendance à dessécher la peau.

Ensuite, ne lésinez pas sur une bonne crème hydratante. Appliquée le matin avant de sortir ou le soir avant d'aller se coucher, elle redonnera de l'élasticité à la peau de votre visage. N'hésitez pas à en appliquer sur le cou.

Puis, en complément de la crème, ne faites pas l'économie d'un soin « éclat du teint ». C'est idéal pour atténuer les rougeurs dues aux agressions extérieures.

Enfin, pensez à vos lèvres ! Il existe pléthore de baumes hydratants à base de vitamines (A et E), de beurre de cacao, de karité ou tout simplement nature. Il vous suffira de garder un tube à portée de main pour, plusieurs fois par jour, le passer sur vos lèvres. Car ce sont elles qui sont les plus exposées et les plus fragilisées en cas d'intempéries.

Ces conseils pourront paraître évidents à tous ceux (mais surtout celles, car ce sont principalement les femmes qui sont rompues à l'exercice) qui considèrent que l'hydratation permanente de la peau relève de l'évidence. Et ils sont nombreux ! La crème hydratante est la reine des produits de beauté. Quelque vingt millions de Français se tartinent régulièrement le visage, voire le corps. Première observation : vingt millions, c'est bien, c'est même beaucoup, mais comme j'ai cru comprendre que nous étions soixante-cinq millions d'habitants, cela nous laisse une belle marge de progression. Et justement, à propos de marge, seconde observation : on vous roule dans la farine ! Oui, on vous roule dans la farine en vous faisant croire que plus une crème hydratante est chère, plus son efficacité est garantie ! Foutaises ! Arnaque ! C'est même parfois le contraire...

Je m'explique... Il existe toutes sortes de crèmes, à tous les prix. Faisons simple : on en trouve qui coûtent trois euros, on en trouve qui vous délestent d'une vingtaine d'euros et on en trouve dont le prix dépasse allègrement cinquante euros. Ceux qui en ont les moyens se jettent sur ces dernières. Et les moins fortunés ont tendance à opter pour la gamme intermédiaire (au regard du prix) en se disant qu'une crème qui coûte moins de cinq euros ne peut pas être une crème sérieuse. Ainsi fonctionne la logique, dans l'inconscient populaire : plus c'est cher, plus c'est efficace. Eh bien permettez-moi de l'écrire ici, tout ça, c'est du pipeau !

De nombreux laboratoires d'analyse des cosmétiques testent régulièrement des échantillons pour mesurer le taux d'hydratation de la peau avant et après application d'une crème. On appelle ça la cornéométrie : ça permet d'évaluer l'efficacité d'un produit. Et les labos en arrivent régulièrement au même type de conclusion : il n'y a pas de différence entre les différentes crèmes pourtant proposées à des prix qui peuvent varier de manière exponentielle.

Pour comprendre, il faut se pencher sur l'emballage des boîtes où sont mentionnés les ingrédients contenus dans la crème. Les produits les plus chers déroulent une liste impressionnante d'actifs hydratants et d'extraits végétaux qui en mettent suffisamment plein la vue pour vous détrousser au moment de passer à la caisse. Mais la multiplication des actifs n'est pas une garantie, loin de là. Aussi, je ne saurais trop vous conseiller d'opter pour des crèmes bon marché qui se contentent de quelques très bons actifs comme la glycérine et le panténol, en concentration suffisante. Retenez bien ça : en matière de crème hydratante, le plus est l'ennemi du bien. Nombre de crèmes bon marché vont à l'essentiel en se contentant d'actifs certes peu nombreux mais connus pour leur efficacité. Les autres vous vendent du rêve, le prestige d'une marque, du packaging en veux-tu en voilà, avec des résultats qui, parfois, peuvent laisser sceptiques. Parce que l'efficacité d'une crème a ceci de particulier qu'elle se mesure dans la durée. Il ne sert à rien de se badigeonner le visage au réveil si c'est pour constater que deux heures plus tard, le produit a perdu son activité hydratante. Une bonne crème agit au minimum pendant quatre heures. Et là encore, certaines crèmes bon marché ont prouvé, lors de tests réalisés à l'aveugle en laboratoire, que leur efficacité durait plus longtemps que celle d'autres crèmes proposées par de grandes marques. La différence de prix, c'est la marge, celle du fabricant, celle du distributeur et bien sûr la publicité (d'un glamour inégalé, il faut bien le reconnaître) dont on vous abreuve dans les magazines féminins ou les spots télévisés.

Des ongles forts !

Vous ne l'avez peut-être pas remarqué, mais le changement de saison peut avoir des répercussions sur vos ongles. Oui, vos ongles ! Je pourrais disserter des heures sur les raisons pour lesquelles ils sont fragilisés, mais comme mon truc c'est avant tout l'efficacité et le conseil, voyons plutôt comment, par quelques gestes simples (et sans avoir recours à un vernis qui les durcirait), vous pouvez éviter qu'ils se cassent. Cela, bien sûr, vaut pour les femmes comme pour les hommes qui, eux aussi, ont le droit d'avoir des ongles forts et ne doivent jamais perdre de vue que les femmes ont tendance, en priorité, à regarder leurs mains...

La première étape consiste à se préparer un bain d'huile. D'olive ou d'amande douce, faites votre choix... Ajoutez-y quelques gouttes de jus de citron, cela fera blanchir vos ongles. Ne reste plus qu'à laisser tremper le bout des doigts pendant un petit quart d'heure. Vos ongles s'en trouveront plus brillants et surtout protégés.

Place alors à la seconde étape : hydrater. Pour ce faire, utilisez une crème pour les mains. N'hésitez pas à masser suffisamment longtemps pour bien la faire pénétrer. Cela permettra, en outre, de ramollir les cuticules, ces petits bouts de peau qui recouvrent la base de vos ongles.

Ensuite ? Dodo ! Il n'y a plus qu'à laisser agir toute la nuit. Notez que rien ne vous empêche, en lieu et place de la crème pour les mains, d'opter pour une huile : d'argan ou de coco, elle fera aussi bien l'affaire.

En complément de ce petit cérémonial dont vous louerez l'efficacité et dont il conviendrait qu'il se répète chaque semaine, sachez que vous pouvez aussi faire une cure d'un mois de levure de bière. C'est en effet un fortifiant naturel, bon pour les ongles. Mais aussi pour les cheveux. Donc ne vous privez pas...

Soyez assis correctement pour épargner votre dos

Avez-vous remarqué que le mal de dos revient régulièrement à la Une des magazines ? Il y a une raison à cela : ça fait vendre du papier ! Et pourquoi ça fait vendre, d'après vous ? Parce que tout le monde est concerné !

Systématiquement ou épisodiquement.

Le coupable, je le connais. Je le connais d'autant mieux qu'il arrive qu'il me fasse des misères à moi aussi. Le coupable, c'est « l'enroulement ». Oui, quand votre dos s'enroule, votre position, censée être une position de repos, devient en fait une position d'effort permanent. Vous croyez vous la couler douce mais vous serrez les dents. Et qui trinque ? Le dos ! L'enroulement, c'est une plaie, un truc qui nous guette en permanence, et notamment dès qu'on pose nos fesses sur une chaise.

Or, dans une journée, la position la plus pratiquée est généralement la position assise. Il est donc nécessaire d'adopter de bonnes habitudes, à commencer par celles-ci :

– éviter la position assise prolongée (la limiter ou la fractionner),

– en cas de position assise prolongée, choisir une position correcte et éviter l'immobilité.

Mais vous allez me dire : « C'est quoi, une position correcte ? » Bonne question... J'y viens. La bonne position pour travailler à votre bureau requiert :

– que vous disposiez d'un appui dorsal,

– que vos fesses soient collées au fond du siège,

– que le clavier et l'écran soient en face de vous pour éviter les mouvements de rotation du tronc,

– que vos avant-bras soient posés sur le bureau pour éviter que le poids des bras ne porte sur les lombaires,

– que la souris soit le plus près possible de vous pour éviter d'étirer le dos en allant la chercher,

– que vos yeux se trouvent à la hauteur de l'écran, mais à une distance d'environ 50 cm.

Et là, permettez que je détaille un peu les choses... Lorsque vous travaillez sur votre ordinateur, il peut arriver que vous peiniez à voir ce qui est écrit petit. Mon conseil : grossissez la taille des caractères. Mais ne rapprochez en aucun cas votre visage d'un écran éloigné : cela entraîne automatiquement un enroulement du dos vers l'avant. Et l'enroulement, je vous aurai prévenus, c'est le début des soucis.

Il n'est pas interdit non plus, pour les plus sensibles d'entre vous, de choisir une chaise ergonomique, avec un dossier qui épouse la cambrure des vertèbres lombaires et de caler votre bassin au fond du siège. Et tant qu'à faire, je vais vous livrer un petit secret : je travaille devant mon ordinateur assis sur un swiss ball, gros ballon gonflable d'environ 70 centimètres de diamètre, que l'on trouve dans les salles de gym et que l'on achète dans les magasins de sport et certains supermarchés. Manière de faire bosser mes muscles profonds sans y penser.

Votre dos a besoin d'exercice physique

L'activité physique reste une valeur sûre pour prévenir le mal de dos. Elle améliore la musculature globale et, par ricochet, permet de moins solliciter les lombaires. Au cours d'un effort physique, quel qu'il soit, de nombreux muscles du corps unissent leurs efforts pour arriver au résultat souhaité. La variété des activités physiques contribue ainsi à la musculature de tout le corps. Cette bonne musculature facilite les efforts et aide ensuite à maintenir de bonnes positions. Cela contribue aussi à limiter les accidents lombaires.

Le sport roi, pour qui veut prendre soin de son dos et être certain de le muscler, c'est la natation. Dans l'eau, le corps flotte. Donc toutes les contraintes et les chocs dus à la pesanteur sur la colonne vertébrale sont supprimés.

Cependant, choisissez bien votre nage : évitez le papillon, car il met en jeu un maximum de tensions sur la colonne (en même temps, je me dis que si vous ne vous êtes pas encore mis à la natation, ce n'est pas par le papillon que vous allez commencer). Mon conseil : la brasse. Mais pas n'importe quelle brasse. La brasse coulée : pensez à bien plonger la tête sous l'eau à chaque mouvement sinon votre dos va se cambrer. Le crawl est aussi une bonne nage, mais pensez à bien pivoter la tête d'un côté puis de l'autre pour inspirer. À respirer toujours du même côté, on donne des habitudes « asymétriques » au corps, ce qui n'est pas souhaitable. Sinon, il y a le dos crawlé : idéal pour vaincre le mal au dos ! Mais plus exigeant physiquement et pas terrible si l'on veut éviter de se prendre des gouttes et même un peu plus dans la figure.

Après cette belle démonstration, j'entends d'ici les objections : je n'aime pas l'eau, je ne sais pas nager, la piscine est trop loin, etc. O.K., j'ai compris. Mais j'ai des ressources... Savez-vous qu'en faisant du vélo d'appartement, vous musclez votre dos ? Savez-vous qu'en maniant dans les règles de l'art de petits haltères, vous musclez votre dos ? Savez-vous qu'en faisant du yoga, vous musclez votre dos ? Savez-vous qu'en marchant, vous musclez votre dos ? Bref, savez-vous que vous n'avez plus d'excuse ? Bougez ! Bougez à votre rythme, pratiquez le sport ou, si vous préférez, l'activité qui vous chante, mais bougez ! Le simple fait de vous étirer, de vous assouplir, de jardiner, de préférer marcher plutôt que de prendre la voiture pour aller faire une course vous sera bénéfique. Notez-le : le pire ennemi de votre dos, c'est l'inactivité.

Ces gestes anodins qui vous ruinent le dos

Il existe, au quotidien, mille et une situations qui, sur le long terme, nous éprouvent sans que l'on s'en rende compte sur le coup. Et puis un jour, crac, surgit le mal de dos. Vous connaissez la formule : mieux vaut prévenir que guérir. En d'autres termes, mieux vaut prendre le plus tôt possible de bonnes habitudes, les transformer en attitudes-réflexes, afin d'éviter de se retrouver à chanter la tyrolienne quand c'est trop tard.

Prenons l'exemple de la voiture. On peut y passer des heures, parfois marquées par l'impatience, voire le stress. On se dit qu'il faut y être à l'aise et l'on a tendance à incliner le dossier du siège pour plus de confort. Erreur ! En voiture, vous devez régler votre siège à angle droit et ne pas placer le volant trop loin de vous. Il est impératif de conduire le haut du corps collé contre le dossier du fauteuil. Vous pouvez aussi prendre un coussin pour bien caler les lombaires. Si le fauteuil est trop dur et qu'il transmet trop les vibrations ou les chocs à la colonne vertébrale, vous pouvez aussi ajouter un coussin sous les fesses. Ça fait beaucoup de coussins, ça n'est pas forcément très chic, mais votre dos le vaut bien.

Paradoxalement, les plages de repos peuvent être elles aussi éminemment toxiques !

À commencer par le super-canapé dans lequel vous prenez plaisir à vous lover pour en apprécier le moelleux. Après vous avoir coûté la peau du dos, il pourrait vous coûter ce qu'il en reste, au sens propre cette fois ! Car il y a de forts risques pour que vous y adoptiez la mauvaise posture en allongeant les jambes devant vous ou en les posant sur la table basse... Vous avez alors l'impression de vous relaxer mais vous ne faites que vous préparer des lendemains douloureux. Dans cette position, les vertèbres coincées menacent de bloquer les nerfs et cela peut se traduire par une inflammation des tissus puis une contracture musculaire. Notez-le : tout ce qui vous conduit à arrondir le bas du dos est néfaste. Dès lors, n'hésitez pas, lorsque vous profitez du confort de votre salon, à placer un coussin en bas du dos, un autre sous les cervicales et un troisième sur les genoux si vous lisez ou surfez sur un écran quelconque.

D'une manière générale, il importe que votre colonne vertébrale reste verticale. Et reconnaissez que la facilité nous conduit parfois à l'oublier, en particulier quand on porte un objet lourd ou quand on se baisse (je devrais dire « on se courbe ») pour ramasser quelque chose par terre. Là encore, mauvaise pioche ! Il faut penser verticalité !

Si la colonne vertébrale est verticale lors de l'effort, le poids est réparti sur la totalité des disques intervertébraux. Ceux-ci fonctionnent alors comme des anneaux amortisseurs entre les vertèbres rigides. Ils peuvent résister à de fortes charges. Votre colonne n'est pas en danger. En revanche, si certaines parties de votre colonne ne sont pas verticales, la pression se concentre sur un seul côté du disque : elle y est 5 à 10 fois plus élevée que sur le reste du disque. Le disque a tendance à glisser vers le côté où il n'y a pas de pression. Et figurez-vous que votre corps n'est pas un imbécile, il est malin : cette très forte pression sur une partie du disque, il la détecte. Et comme il est réactif face à ce danger, il risque de contracter toute la zone concernée. Conséquence : un bon petit lumbago, correspondant à un blocage brusque par contraction musculaire lors d'un effort effectué dans une mauvaise position. J'en vois d'ici qui se marrent doucement, et se disent que cela fait des années qu'ils vivent leur vie sans être obsédés par la verticalité de leur colonne. Ils ont tort ! Le corps compense. Le corps régule. Le corps soutient. Mais à force d'être sollicité, un jour, il peut craquer...

Petits exercices au quotidien contre le mal de dos

Pour soulager votre mal de dos, il existe quelques exercices permettant d'améliorer votre maintien et la mobilité de votre bassin.

– Tenez-vous debout et creusez le bas de votre dos.

Lorsque votre bassin est orienté vers l'avant (antéversion), arrondissez le bas de votre dos pour basculer votre bassin vers l'arrière (rétroversion). Répétez le mouvement mais attention, restez droit, votre torse ne doit pas bouger.

Avoir une meilleure conscience de la position de votre bassin devrait vous aider à le maintenir instinctivement dans une position de rétroversion, propice au relâchement des muscles des vertèbres lombaires.

– Pour détendre votre dos, vous pouvez aussi vous tenir debout, dos à un mur, tendre les bras vers le haut et essayer de vous grandir le plus possible, sans décoller les talons du sol. Gardez le menton rentré en essayant de pousser la tête vers le haut. Dans cette position, vous allez pouvoir étirer les muscles de votre dos pour les soulager un peu. Tenez la position pendant une dizaine de secondes, en n'oubliant pas de respirer profondément.

– Les douleurs lombaires peuvent survenir aussi parce que les muscles de votre ceinture abdominale et de votre dos sont trop faibles. Renforcez donc vos abdominaux par des exercices réguliers, trouvez-vous des exercices de gainage qui vous aideront à muscler le dos et, surtout, ne négligez pas vos fessiers et vos ischio-jambiers, les muscles de l'arrière de la cuisse. Étirez-les avec précaution et sans brusquerie dès que le besoin s'en fait sentir.

Les écrans, à en pleurer

Avec l'avènement de la société technologique, l'ordinateur est devenu le meilleur ami de l'homme. Et de la femme. L'écran, à la fois outil de travail et compagnon de loisir, mobilise notre attention : quand nous sommes devant, que nous écrivions ou que nous lisions, nous faisons un effort d'attention.

Conséquence : nous clignons moins des yeux.

Conséquence de la conséquence : nos pupilles sont moins souvent humidifiées, le film lacrymal est rompu, ce qui augmente notre sécheresse oculaire.

Conséquence de la conséquence de la conséquence : fatigue, les yeux qui piquent, des rougeurs, bref, bobos à gogo...

Pour remédier à cela, l'idéal serait de pleurer un bon coup ! Mais bon, je préfère que vous ne vous départissiez pas de votre légendaire sourire et tentiez autre chose. En l'occurrence, ceci : forcez-vous à cligner des yeux. Même si vous n'en ressentez pas le besoin. Vous pouvez aussi avoir recours à un collyre : les larmes artificielles soulagent.

En marge de ce petit truc pratique, vous devez surveiller votre alimentation de manière à ce que votre organisme dispose de tout ce dont il a besoin pour fabriquer des larmes sans peine... Une raison de plus pour privilégier les oméga-3 et les aliments réputés antioxydants.

Enfin, vous pouvez aussi décider de réduire le temps passé devant l'ordi. Et ça, on le sait, ce n'est pas gagné... Mais rien n'empêche d'essayer !

Des lunettes, oui, mais de qualité

La DMLA, ça vous dit quelque chose ? Derrière ce sigle, se cache la Dégénérescence Maculaire Liée à l'Âge qui, comme la cataracte, peut devenir votre meilleure ennemie si vous ne protégez pas vos yeux du soleil. Je ne doute pas que vous ayez des lunettes de soleil. Ni même qu'elles vous aillent à merveille... Mais avez-vous la paire qui convient ? Pour le savoir, jetez un œil sur ce qui suit en vous disant que sur cette question, il ne faut pas chercher à faire des économies.

D'abord, la monture...

L'idéal est qu'elle coure le long des sourcils, de manière à vous englober au mieux. Notez que des branches larges empêchent la lumière, cette sournoise, de pénétrer par les côtés.

Ensuite, le verre...

Son job, c'est de faire barrage aux rayons ultraviolets. Il peut être en polycarbonate (le plus efficace), en résine CR39 ou minéral, peu importe ! L'essentiel est qu'il jouisse de la norme CE. Retenez une chose : plus le verre est clair, moins il protège contre l'éblouissement.

Enfin, la classe...

Il ne s'agit pas là de la classe version Aldo Maccione mais de celle qui détermine la quantité de lumière qui arrive à la rétine. La graduation va de 0 à 4 et tout marchand de lunettes qui se respecte doit faire en sorte qu'elle soit mentionnée sur le produit. Classe 1 ? Fuyez ! Classe 2 ? Correct, mais pas terrible. Classe 3 ? C'est ce que je vous recommande ; c'est d'ailleurs la plus répandue. Classe 4 ? Elle est plutôt réservée aux enfants, dès l'âge de six mois. Ou alors adaptée aux loisirs de montagne, quand la luminosité est intense. Mais à éviter si vous prenez le volant. Car c'est bien connu, voir ou conduire, il faut choisir...

La crème solaire, mode d'emploi

Pas de soleil sans crème solaire ! Ne jouez pas avec votre peau et ne prenez pas le risque d'un coup de soleil. D'abord parce que ça fait mal mais surtout parce que les coups de soleil répétés tout au long d'une vie peuvent se traduire par un mélanome malin, expression policée du cancer de la peau.

Évidemment, vous avez envie de bronzer. Et de bronzer vite. La tentation est forte, dès lors, d'utiliser une crème à l'indice faible. Épouvantable erreur : vous opterez pour un indice 30 (c'est un minimum) et n'hésiterez pas à monter à 50 si vous avez la peau claire.

Étaler la crème, c'est rébarbatif. D'où une autre tentation contre laquelle il faut lutter : le bâclage. Là encore, erreur : plus on ressemble à une tartine beurrée, moins on est protégé. Vous devez étaler la crème avec application et bien la faire pénétrer dans la peau. C'est fastidieux ? Oui ! Mais pensez aux bons moments que vous allez passer au soleil. L'idéal est d'ailleurs de faire de cette séance de « tartinage » un rituel et de le pratiquer à la maison, avant de sortir. En mettre partout, y compris entre les doigts de pieds. Et renouveler l'application régulièrement. Sans attendre que les brûlures du soleil se fassent sentir.

L'erreur à éviter : laisser négligemment traîner vos **produits solaires** des heures durant au soleil. Les cosmétiques n'aiment pas les conditions extrêmes. Laissez donc vos produits à l'ombre d'un sac, à l'abri des fortes températures.

Les tongs en question

Ah, les tongs ! Depuis quelques années, on les voit ressurgir des placards et de nos souvenirs. Elles méritent sinon un grand débat national, du moins que l'on fasse le point autour d'une question simple : pour ou contre ?

Pour : elles sont pratiques à mettre comme à enlever et en période de grosse chaleur, elles garantissent à nos pieds de rester à l'air libre.

Mais les tongs n'ont pas que des avantages. Et si on peut apprécier de les chausser, le faire systématiquement peut avoir une influence néfaste pour les pieds.

Primo, les tongs font bosser les orteils : ils doivent « s'accrocher » à la chaussure pour éviter un glissement du pied. C'est certes une manière comme une autre de se muscler mais cet effort sollicite vos muscles et, s'il est permanent, peut entraîner une tendinite, c'est-à-dire une inflammation des tendons.

Secondo, la semelle des tongs étant ce qu'elle est (fine, si fine...), le pied encaisse un choc chaque fois que vous bougez. À la longue, vous pouvez vous exposer à des fissures sur les os des pieds.

Tertio, marcher avec des tongs, c'est frotter la peau nue contre du plastique, ce qui est une aubaine pour les bactéries et peut par ailleurs conduire à l'apparition d'ampoules.

Ces choses étant dites, sachez que les tongs ne mettent pas non plus en péril l'avenir de l'humanité. Simplement, si vous en appréciez l'usage, choisissez-les bien : optez pour un modèle qui ne soit pas trop souple (si vous parvenez à les plier en deux, oubliez), privilégiez les semelles épaisses, ne négligez pas les cuirs doux et dites-vous bien que la tong est un produit périssable qui mérite d'être remplacé tous les ans.

Échappez à l'otite du baigneur !

Les mauvaises langues prétendent que les médecins qui bossent l'été adorent les otites : ça les fait vivre ! Ah, l'otite du baigneur ! Aux beaux jours, ceux qui en souffrent se déversent par cargaisons entières dans les salles d'attente des cabinets médicaux ! Ceux qui y ont goûté vous le confirmeront : il y a là de quoi vous pourrir une bonne partie des vacances.

L'otite du baigneur, c'est quoi ?

Ça commence avec de l'eau (celle de la mer, de l'océan, de la piscine ou même du bain, l'été, ce ne sont pas les occasions qui manquent...) qui s'accumule dans le conduit externe de l'oreille. Là, les bactéries et les champignons se disent : « Chouette, on va pouvoir proliférer » ! Et ils prolifèrent... Et vous, vous dégustez... Vous avez un doute sur le diagnostic ? Tirez délicatement le pavillon de l'oreille vers le haut. Ça fait mal ? C'est l'otite du baigneur. Vous n'avez plus qu'à prendre rendez-vous chez le docteur et à faire une croix sur vos baignades.

Alors pour éviter de gâcher votre plaisir, voici mes conseils...

Primo, si vous ne savez pas vous en servir correctement, évitez les cotons-tiges, en tout cas dans le conduit externe de vos oreilles. Vous risquez de tasser le cérumen (la cire, si vous préférez) et ce n'est pas le but de l'opération.

Secondo, après la baignade, penchez la tête de chaque côté. Avec un peu de chance et de persévérance, l'eau stagnante s'écoulera. Si ça reste bouché trop longtemps, c'est que vous avez un « bouchon de cire ». Car voyez-vous, le cérumen est hydrophile et gonfle au contact de l'eau. Ensuite, tamponnez avec un coin de serviette propre ou un mouchoir en papier pour sécher.

Tertio, baignez-vous autant que faire se peut dans des eaux propres, tout en évitant de mettre la tête sous l'eau. Je vous vois venir : demander aux enfants de ne pas mettre la tête sous l'eau, c'est comme mettre un renard dans un poulailler en lui donnant pour consigne de ne manger que les graines. Injouable... D'où la solution ultime (que vous pouvez aussi adopter car c'est également efficace avec les adultes) : leur faire porter des bouchons spéciaux pour baignade. Avec ça, votre progéniture pourra batifoler en toute (disons relative) tranquillité...

Soignez votre décolleté, au sens propre

Il existe, Mesdames, un sujet qui vous concerne autant qu'il passionne les hommes : votre décolleté. Et il y a de fortes chances pour qu'en tant que femme, vous y teniez, à votre décolleté. Et vous avez raison. D'où l'intérêt de protéger votre peau. À cet endroit, elle est pauvre en glandes sébacées (qui sécrètent le sébum, lequel limite le dessèchement de la peau) et sa fragilité le dispute à sa finesse. Le risque, dès lors, serait que votre peau vieillisse prématurément. Avouez que ce serait dommage...

Vous devez donc sacrifier à un rituel qui vous protégera. C'est comme une valse, ça se négocie en trois temps.

Primo, hydrater. Faites-le chaque jour, faites-le tous les jours ! Ce ne sont pas les crèmes qui manquent et toutes n'attendent qu'un seul et même geste de votre part : masser en douceur, avec le plat de la main, en effectuant de petits ronds vers le haut de votre décolleté. Il suffit, ainsi, de cinq minutes chaque jour pour stimuler la production de collagène, lequel aidera les tissus à mieux résister à leur étirement naturel (il sait faire, c'est son job).

Secondo, gommer. Oui, gommer, mais avec un produit non agressif, c'est-à-dire avec des grains fins, voire sans grains. L'épiderme est en effet des plus sensibles à cet endroit.

Tertio, protéger. De quoi ? Du soleil, pardi ! Quand, au printemps, il réapparaît, les décolletés achèvent leur « hibernation ». Sauf qu'à cet endroit du corps, les ultraviolets pénètrent perpendiculairement dans la peau. Ne lésinez donc pas sur l'indice : un bon 50 fera l'affaire.

Voici deux conseils supplémentaires pour **préserver votre peau** :

– Évitez l'eau trop chaude sur la poitrine parce que ça ramollit les tissus cutanés. Mieux : terminez votre douche par un jet d'eau froide. Oui, je le sais, ça pique un peu, mais votre peau vous remerciera.

– Si vous mettez de l'eau de toilette ou du parfum, vaporisez vos vêtements plutôt que le cou ou le haut de la poitrine. L'alcool assèche l'épiderme et ce serait dommage, après avoir suivi tous les conseils qui précèdent, de vous tirer une balle dans le pied. Ou, en l'occurrence, dans la poitrine...

C'est bon ? Tout est clair ? Vous pouvez sortir...

3

Le coin des sportifs

Le sport « low-cost »

Nous abordons ici le coin des sportifs. Ce chapitre s'adresse en priorité à celles et ceux qui ont une activité physique régulière ou sont décidés à s'y mettre. Mais les autres sont aussi les bienvenus : ils y trouveront quelques recettes pour se dépenser tout en ayant l'impression de buller. Ou presque. Je pourrais appeler ça le sport « low-cost », et il consiste à endiguer l'enchaînement catastrophique selon lequel moins on bouge, moins on a envie de bouger, moins on a envie de bouger, moins on a les capacités de bouger et, moins on a les capacités de bouger, moins on bouge... Vous voyez le tableau ? Ce cercle vicieux du déconditionnement physique est le processus qui explique l'insuffisance de l'activité physique dans la vie.

Auto-entretenu, il entraîne ses victimes vers la dégradation de leur physique et de leur qualité de vie.

Comme on ne peut faire abstraction des rayures d'un zèbre, je me garderai bien de vous obliger à quoi que ce soit. En revanche, je me dois de vous informer sur les possibilités qui s'offrent à vous d'entretenir un minimum votre forme tout en exécutant tout un tas de gestes quotidiens auxquels, de toutes les façons, vous ne pouvez échapper. Alors tant qu'à les faire, autant qu'ils servent à quelque chose. En tenant compte des quelques recommandations qui suivent, vous bougerez peut-être un peu plus, ce qui vous donnera peut-être un peu plus envie de bouger et ainsi de suite, jusqu'à prendre le cercle vicieux à rebours, jusqu'à le transformer, qui sait, en cercle vertueux.

Vous arrive-t-il de regarder la télévision ? Ne dites pas non, je ne vous croirai pas. Donc oui, ça vous arrive. Continuez ! Mais préalablement, installez un tapis de sol devant votre écran géant... Allongez-vous sur le dos et pédalez avec vos jambes quelques secondes (ou plusieurs minutes si vous en ressentez l'envie) : ceci musclera efficacement vos cuisses, mais aussi vos abdominaux. Et vous ne perdrez rien du programme diffusé. Je ne vous promets pas les tablettes de chocolat. Mais je puis vous assurer que cela aidera à limiter la petite brioche... Petit effet bonus : cet exercice active la circulation sanguine et procure un bon coup de fouet.

Variante : allongé ou assis, gardez les jambes tendues et faites des séries de battement de jambes vers le haut. Le seul risque que vous prenez, c'est d'agacer la personne qui partage votre canapé. Mais elle vous aime, elle comprendra... Variante de la variante : toutes les 10 minutes, toujours assis dans votre fauteuil ou votre sofa, tendez les jambes vers le haut plusieurs secondes. Cette méthode simple permet de récupérer quelques abdominaux.

Vous arrive-t-il de téléphoner ? Forcément... Tout en continuant à parler, adossez-vous à un mur et montez une jambe, idéalement à 90 degrés. Maintenez la position quelques instants, puis redescendez la jambe, et faites de même avec l'autre jambe. Cet exercice, s'il est bien réalisé, vous permettra de vous muscler les cuisses. Variante : la montée de genoux. Soulevez le plus haut possible votre jambe, en pliant votre genou et en maintenant votre buste droit. Gardez la position pendant 2 secondes et revenez à votre position initiale sans laisser votre pied toucher le sol. Répétez le mouvement plusieurs fois. Recommencez avec l'autre jambe. Et encore, et encore, jusqu'à ce que vous sentiez que l'exercice porte ses fruits au niveau des cuisses mais aussi des mollets qu'il aide à raffermir.

Les mollets justement... Il n'y a pas que le vélo pour les muscler. Il vous suffit d'une chaise... En position assise, le dos bien calé, décollez les talons et maintenez-les ainsi quelques secondes, les orteils toujours posés au sol. Relâchez et recommencez l'exercice plusieurs fois. Cela suffit à muscler vos mollets ! À faire à votre rythme.

Vous arrive-t-il d'être debout ? J'aime à le croire... Prenez-vous pour une danseuse étoile : montez doucement sur la pointe des pieds, puis descendez, remontez, redescendez...

Ce petit exercice est facile à faire, quand vous attendez le bus, quand vous êtes dans l'ascenseur, ou quand vous êtes sous la douche. Il vous fera le plus grand bien. Variante : vous êtes toujours debout, vous levez votre jambe sur le côté, doucement, puis revenez à la position initiale. Faites plusieurs séries, en écoutant votre corps... Vous sentirez bientôt les effets bénéfiques de cet exercice sur la musculature de votre fessier. N'oubliez pas de changer de jambe, c'est mieux pour votre silhouette ! Vous pouvez aussi faire travailler vos fessiers à l'heure de la pause-café. En position assise, maintenez votre dos bien droit, puis contractez et relâchez vos fessiers, plusieurs fois de suite, sans forcer.

Maintenant que vous avez des fesses en tungstène, occupez-vous de vos bras ! Lorsque vous avez un moment de libre, essayez tout simplement de vous tenir debout, le corps bien droit, et de lever vos bras tendus, l'un après l'autre, sur le côté. Facile ? On en reparlera dans 50 mouvements... cet exercice utilisant le poids du corps pour développer votre musculature.

Vous le voyez, la vie quotidienne offre mille occasions de se dépenser sans s'encombrer de matériel ni empiéter sur son temps libre. Le plus petit des efforts n'est jamais vain, toujours bénéfique.

La magie des endorphines

On les appelle les molécules du bonheur, elles rendent euphorique, leurs effets sont proches de ceux de la morphine avec laquelle d'ailleurs elles riment : ce sont les endorphines.

Le cerveau les libère lors de la pratique sportive. Plus précisément, ce sont l'hypothalamus et l'hypophyse qui se chargent de faire le boulot en les sécrétant, mettant ainsi à votre disposition le plus naturel des médicaments. Bien sûr, on n'a rien sans rien et il est essentiel que vous y mettiez du vôtre. Libre à vous de choisir un sport parmi les plus endorphinogènes. Il en existe une infinie variété : le vélo, la natation, le ski de fond, les balades en raquettes, le rameur, le step, l'aérobic et nombre de sports collectifs, sans oublier le jogging, sport roi en la matière. Ne parle-t-on pas de la drogue du coureur, à propos des endorphines ?

Bien des sportifs de haut niveau se sont exprimés sur ce qu'ils appellent l'extase du coureur. Les amateurs n'en sont heureusement pas à l'abri. Eux aussi connaissent ce moment délicieux où, après un début d'entraînement parfois rude où l'on se demande « ce qu'on fait là », on se sent atteindre, petit à petit, cet état de griserie qui nous fait nous sentir fort mentalement. Évidemment, ce plaisir-là se mérite, le taux d'endorphines étant directement lié à l'intensité et à la durée de l'exercice. Il ne suffit pas de gambader une dizaine de minutes pour espérer être récompensé. Le mécanisme a besoin d'un effort soutenu pour se mettre en branle : l'équivalent d'une demi-heure de course, à un rythme dit confortable en endurance (entre 50 et 70 % de la fréquence cardiaque de réserve). On peut ainsi multiplier par cinq la quantité d'endorphines sécrétées par rapport à l'état de repos. Et la sensation de bien-être perdure au-delà de la séance de sport.

Le pouvoir magique des endorphines ne s'arrête pas là, loin s'en faut ! Elles auraient un effet anxiolytique. C'est en tout cas ce qu'assure un chercheur de l'Institut de Médecine aérospatiale du service de santé des armées de Brétigny-sur-Orge ; dont les études ont permis de conclure que les sportifs réguliers étaient moins exposés au stress que les non-sportifs. En outre, les endorphines constituent un rempart contre la douleur. En fait, elles agissent en se fixant sur des récepteurs spécifiques qui bloquent alors la transmission des signaux douloureux. La sensation de douleur s'en trouve réduite, quand elle ne disparaît pas. Attention : n'allez pas croire que si vous vous faites une entorse en courant, vous n'allez rien sentir parce que vous sécrétez des endorphines ! Ce qu'il faut comprendre, c'est que les endorphines atténuent la souffrance due à la performance. Elles aident à encaisser l'effort. Il suffit d'en parler avec des rugbymen de haut niveau pour s'en persuader. Avez-vous vu ce qu'ils endurent au cours d'un match ? Pourtant, ils se relèvent. Sur le coup, les joueurs ne ressentent pas vraiment les effets de la douleur occasionnée par les chocs et les chutes. Et puis les endorphines vous protègent dans une certaine mesure contre la fatigue. Elles agissent en effet comme un régulateur qui permet de limiter l'essoufflement ou la fatigue musculaire. Dernier pouvoir magique des endorphines : elles interviennent dans la gestion du sucre pendant l'effort. Elles en limitent la consommation immédiate (c'est plutôt le gras qui trinque) et permettent donc de résister plus longtemps et dans de meilleures conditions...

Ainsi s'exprime le pouvoir magique des endorphines. Vous en avez à disposition. C'est gratuit, c'est cadeau, c'est à vous, c'est en vous. N'hésitez pas à vous en servir. Donc, on se bouge !

Reprenez le sport : doucement et sûrement

Vous voulez vous remettre au sport ? Sage décision... Et félicitations : c'est sans doute la meilleure idée qui vous soit passée entre les oreilles depuis que vous avez arrêté... Vous allez vite ressentir les effets bénéfiques de cette décision, tant sur le plan physique que sur le plan psychique.

L'idéal serait d'éviter la blessure, votre organisme ayant un peu perdu l'habitude de se déplier...

En conséquence, quel que soit le sport pour lequel vous opterez, pensez toujours à vous échauffer. Il suffit, pour ce faire, d'un footing de quelques minutes. Vous pouvez même faire du surplace : l'essentiel, c'est que votre cœur comprenne le message selon lequel vous allez avoir besoin de lui pour l'oxygénation des tissus. Ajoutez à cela quelques mouvements qui consistent à se botter les fesses (au sens propre !) avec les talons : la température de vos muscles augmentera, éloignant ainsi le risque de déchirure.

Évidemment, plus l'organisme est rouillé, plus il a besoin de se réhabituer à certaines choses utiles à prendre en compte quand on est en mouvement dans l'espace. Cela vous conduira à travailler votre équilibre. Comment ? Facile ! Tel le flamand rose, il vous suffit de prendre appui sur un pied pendant une trentaine de secondes, tout en réalisant quelques mouvements avec votre corps.

– Debout sur le seul pied droit, fléchissement de la jambe.
– Rotation du buste vers la droite.
– Puis rotation du buste vers la gauche.
– Extension de la jambe droite.
– Même chose sur le seul pied gauche.
– Recommencez, pied droit, pied gauche.

Faire cet exercice une dizaine de fois rode vos tendons et alerte les capteurs qui se trouvent dans l'oreille interne. Oui, parce que vous ne vous en doutez pas mais quand vous faites du sport, même l'oreille interne est mise à contribution.

> Deux recommandations à celles et ceux qui reprennent le sport :
>
> 1. Ne vous surestimez pas ! Si vous cherchez à épater la galerie, vous risquez de finir à l'infirmerie.
> 2. Étirez-vous une fois votre séance terminée. C'est l'affaire d'une dizaine de minutes mais c'est capital pour ne pas vous réveiller raide comme un bout de bois le lendemain, perclus de courbatures. Ce serait alors le plus sûr moyen d'être dégoûté et de ne pas avoir envie d'y retourner... Et ce serait bien dommage !

Le sport, oui, mais à quelle heure ?

Faire du sport ? Oui, bien sûr ! Mais quand ? Le matin ? À midi ? Le soir ? Il n'y a pas, à ce sujet, de règle d'airain. Mais je vous recommande quand même de tenir compte de certaines règles, plus souples, qui vous permettront de profiter au mieux des bienfaits que procure l'activité physique.

Rien de plus indiqué qu'une petite séance de sport matinale pour réveiller les muscles et l'organisme. Je conseille le cardio-training, à condition d'y aller doucement : n'oubliez pas qu'une journée forcément bien remplie vous attend... L'essentiel est de transpirer pour mériter sa douche ! L'avantage du matin, c'est que vous optimisez votre productivité : les endorphines sécrétées pendant l'exercice physique concourent à améliorer votre concentration et votre créativité.

À la mi-journée, nombreux sont ceux qui commettent l'erreur d'avaler quelque chose vite fait et enfilent un short, persuadés qu'une séance de sport va les faire digérer. En fait, c'est le contraire qui se produit. Si vous bougez, le corps donne la priorité au travail musculaire et le sang (dont l'afflux est nécessaire pour la digestion) déserte l'estomac et va irriguer vos gambettes. Conséquence : la digestion passe à l'as, vous manquez de souffle, votre rendement s'en ressent. Je conseille donc aux sportifs de la mi-journée de prévoir un en-cas vers 10 h 30, grosso modo deux heures avant la séance. Quelques fruits ou des barres de céréales feront l'affaire. Bien penser à s'hydrater en prévision de l'effort. Ensuite, après la séance, vous saurez vous contenter d'un repas léger, enrichi, dans l'après-midi, d'une collation.

Quant au soir, il commence, dans mon esprit, aux alentours de 19 heures. C'est le moment où votre organisme se prépare au sommeil. La température du corps diminue, la pression artérielle aussi. L'activité intense à ce moment-là va à l'encontre de ces deux phénomènes naturels. Du coup, quelques heures plus tard, après avoir bien sué, vous risquez d'avoir du mal à vous endormir et, si vous y parvenez, de vivre une nuit perturbée. D'où l'importance, si vous êtes du soir, par nature ou parce que votre emploi du temps vous y oblige, de choisir des sports relaxants comme le jogging à petite allure ou les étirements. Oubliez l'idée de battre des records en fin de journée et retenez cette maxime que j'ai d'ailleurs faite mienne : « Sport en soirée, douceur obligée. »

Je le répète, bien que le matin ait ma préférence, il n'y a pas de règle. Il importe surtout de tenir compte du rythme de chacun, même s'il n'est pas interdit de poser la question susceptible de remettre en cause tout ce que je viens de vous expliquer : sont-ce les rythmes qui créent les habitudes ou les habitudes qui créent les rythmes ? Je reste persuadé que nous sommes tous capables de nous imposer de nouveaux rythmes. C'est pourquoi, à celles et ceux qui sont du soir ou qui se croient du soir (on a parfois tendance à trop s'écouter), je conseille volontiers d'essayer le matin. Juste pour voir. Et éventuellement de l'adopter...

Les incontournables du footing en hiver

Comme c'est curieux : quand survient l'hiver, on a un peu moins envie d'aller faire son footing... Pourtant, il faut y aller. Ne pas céder. Se motiver. Ne pas craindre la pluie et le froid. J'ai des trucs. J'ai testé : ça marche...

Jugez plutôt...

1. Échauffez-vous à l'intérieur.

En augmentant la température du corps et la chaleur musculaire, vous gagnerez en souplesse au niveau des articulations. Vos mouvements seront mieux coordonnés.

2. Soignez l'isolation.

Pour ce faire, un leitmotiv : trois couches ! La première pour respirer, la seconde pour isoler, la troisième pour protéger. Si ça caille vraiment, revêtez le fameux vêtement « seconde peau ». Léger, technique et doux, il permet de conserver la chaleur de votre corps sans entraver vos mouvements.

3. Portez des vêtements sombres.

Les couleurs foncées absorbent les rayons solaires. Y a pas de soleil ? Mais si... Sinon, il ferait complètement nuit...

4. Protégez les extrémités du corps.

Qui dit tête, cou, mains et pieds dit bonnet, cache-cou, gants, chaussettes, à choisir pour leurs qualités isolantes.

5. Hydratez-vous.

Ce n'est pas parce qu'il fait froid que l'on est à l'abri de la soif. Au contraire : n'oubliez pas que la respiration de l'air froid accélère la déshydratation.

6. Sustentez-vous.

Quelques fruits secs ou barres de céréales feront l'affaire pour vous fournir en sucres : vos muscles en ont besoin pour combattre le froid et vous apporter de l'énergie.

7. Utilisez votre nez et votre bouche.

Si l'effort n'est pas très soutenu, mieux vaut inspirer par le nez et expirer par la bouche. L'air froid sera un peu réchauffé avant d'arriver dans les poumons.

Tous ces conseils vous aideront à optimiser vos séances qui, cependant, pourraient être gâchées si vous n'avez pas de chaussures adaptées. Choisissez-les de manière à garder les pieds au sec. Il en existe qui disposent d'une membrane intérieure imperméable et vous protégeront donc de la pluie.

L'eau du sportif : avec ou sans bulles ?

Une fois que vous avez terminé votre séance de sport, il est impératif de vous réhydrater. Et là, dilemme ! Eau plate ou eau pétillante ? Avec ou sans bulles ?

Il y a certes des questions plus graves dans la vie. Cependant, vous devez savoir que votre choix dépend de la nature de votre activité.

Au terme d'une séance tranquille de yoga, de danse ou de fitness, vous pouvez vous réhydrater avec de l'eau plate. En revanche, si vous vous êtes offert une séance de plus de trois quarts d'heure, si vous avez sérieusement sollicité votre organisme comme on peut le faire à l'occasion d'une sortie à vélo, d'une course à pied ou en accumulant les longueurs de piscine, bref, si vous avez bien transpiré, optez pour l'eau pétillante. Elle est en effet généralement plus riche en sel et donc particulièrement indiquée pour votre corps qui a perdu du sodium au cours de l'effort.

Bien sûr, tout cela est aussi une affaire de goût. Au propre comme au figuré. Car bien que ne contenant pas de calorie, l'eau pétillante donne l'impression d'avoir un goût particulier. Les bulles piquent légèrement la bouche. On a l'impression « d'avaler quelque chose ». Conséquence : cela accentue « l'effet satiété », non négligeable pour qui prétend moins manger...

Mais l'eau gazeuse n'a pas que des avantages. La boire, c'est avaler du gaz. Du gaz dont il faut bien, à un moment ou un autre se débarrasser... Et si par extraordinaire, vous avez l'estomac fragile et de petits problèmes gastriques, mêmes passagers, je ne vous fais pas un dessin...

Bref, pétillante ou plate, vous avez le choix, l'essentiel restant de penser, encore et toujours, à s'hydrater et à se réhydrater.

Et l'**eau du robinet** ? Elle n'a pas toujours bonne réputation et c'est bien dommage, car elle est bonne. Pour les sportifs comme pour les autres. Pris en étau entre les as du marketing et le regard insistant du garçon de café, les consommateurs que nous sommes se sentent parfois obligés de consommer de l'eau en bouteille. Et donc de la payer, jusqu'à 300 fois plus cher que l'eau du robinet dont le prix, en France, tourne autour de 0,35 centime le litre. Sachez-le : même si son goût peut varier d'une ville, voire d'un quartier à l'autre, l'eau du robinet ne vous fera jamais de mal. C'est un produit sain, sans doute le plus contrôlé de la planète alimentaire.

La récupération par les chaussettes

Je m'adresse en priorité à celles et ceux qui ont adopté un mode de vie sportif et ne rechignent pas à l'effort : connaissez-vous les chaussettes de récupération ? Attention : je ne vous parle pas d'une vieille paire pourrie que vous récupéreriez on ne sait où ! Les chaussettes de récupération, c'est l'autre appellation des bas de contention. On les dit « de récupération » parce qu'elles aident à mieux récupérer après l'effort.

Effet de mode ?

Loin de là...

Quand vous faites du sport, les cellules de votre organisme produisent des déchets qui ont tendance à rester en bas du corps, ce dernier étant soumis à la pesanteur. Ou alors, vous marchez sur la tête... Or, si les toxines stagnent dans les muscles, l'effet « jambes lourdes » est garanti et la récupération musculaire plus compliquée. Il faut donc faciliter leur évacuation.

Comment ?

En améliorant ce qu'on appelle le retour veineux.

Les chaussettes de récupération (ou bas de contention) ont ceci de particulier qu'elles exercent une pression au niveau des veines de la jambe. Elles empêchent ainsi l'accumulation de sang et le maintien des déchets dans les membres inférieurs. En fait, elles fonctionnent un peu comme une pompe : à chaque contraction musculaire, le sang est comprimé progressivement le long de la jambe, ce qui le fait remonter vers les organes où il est filtré.

L'idéal est d'opter pour des chaussettes qui recouvrent toute la jambe, des pieds aux cuisses. Mais tous les sports ne se prêtent pas forcément à ce genre de déguisement... Aussi, retenez qu'elles doivent surtout englober talons et mollets dans lesquels le sang stagne plus volontiers.

Crampes : quand les muscles s'emballent

Si vous aimez et pratiquez le sport, vous avez sans doute déjà entendu parler des crampes. Peut-être même en avez-vous souffert... Oui, je sais, ça fait mal. Dès lors, il n'est peut-être pas inutile de savoir comment les éviter et comment les traiter quand elles surviennent.

La crampe est au sportif ce que la panne d'électricité est à l'informaticien, la grève des cheminots à la circulation des trains ou l'arrivée inopinée d'Adriana Karembeu dans mon bureau : une cause d'arrêt immédiat de l'activité. La raison en est simple : un ou plusieurs de vos muscles se contractent involontairement.

Forcément, lors de vos séances sportives, vous êtes exposés : vous sollicitez vos muscles, lesquels se chargent de déchets et de toxines, diminuant leur rendement et leur tolérance à l'effort. À trop tirer sur la corde, on risque tout simplement de la casser...

Mais alors que faire lorsque la douleur surgit ?

Une chose, une seule : masser. Mais il faut masser dans le sens inverse de la crampe, l'idée étant d'étirer le muscle. Prenons l'exemple du mollet. Il se contracte ? Au lieu de geindre, massez ! Non sans avoir préalablement mis votre pied en flexion, c'est-à-dire avec la pointe qui remonte vers vous.

Cela dit, le meilleur moyen de combattre la douleur, c'est de faire en sorte qu'elle ne survienne pas. Car une crampe n'arrive jamais par hasard...

Il est donc indispensable que votre séance de sport soit précédée de quelques minutes d'échauffement et que vous pensiez à vous hydrater avant, pendant et après l'effort. Il est tout aussi important que vous disposiez d'un bon équipement et que vous soyez à l'écoute des conseils techniques que l'on peut vous donner. Car un geste inadapté, tout comme une position incorrecte, peut déboucher sur des crampes.

Évidemment, je connais des petits malins qui vous diront qu'il suffit de ne pas faire de sport pour éviter les crampes. Pas faux. Mais pas si bien vu non plus. Votre organisme a besoin d'un minimum d'exercice. Je vous encourage donc plus que jamais à vous bouger, d'autant qu'un entraînement régulier permet d'accoutumer votre organisme à l'effort et donc, justement, de prévenir les crampes.

Sport et soutif

Mesdames, vous permettrez, à ce stade du livre, que je me penche sur vos seins de sportives... Il faut en prendre soin et vous êtes majoritaires à ne pas le faire en ne portant pas de soutien-gorge adapté quand vous pratiquez une activité sportive.

Mais, me direz-vous, qu'est-ce qu'un soutien-gorge adapté ?

Un soutien-gorge adapté limite les mouvements de la poitrine qui, inéluctablement, fait du yo-yo quand vous vous mettez en mouvement. Il contribue donc à retarder les effets d'affaissement. Vous devez savoir que votre poitrine, essentiellement composée de glandes et de tissus graisseux, est maintenue par de très fins ligaments. Pendant vos exercices, elle est soumise à des mouvements plus ou moins intenses qui causent une tension sur ces ligaments et peuvent entraîner leur déchirement. À long terme, c'est l'affaissement assuré... Et il n'y a plus grand-chose à faire : une fois que votre poitrine n'est plus soutenue par ces ligaments, aucun exercice, aucune solution non-médicale ne peut lui redonner sa tenue initiale. Attention, je ne dis pas que les exercices (globalement, ceux qui font habituellement travailler les pectoraux) ne servent à rien ! Ils peuvent, au contraire, être excellents, mais uniquement avant que la dégringolade ne soit totale...

Je ne vais pas faire ici de pub pour les uns ou les autres, mais je pense que vous devez opter pour des soutiens-gorge très rigides et sans armature. L'idéal est d'en avoir plusieurs, car à porter trop souvent les mêmes, on les ramollit (les soutifs, pas les seins...).

Certaines d'entre vous objecteront que la Nature les a un peu moins bien dotées que d'autres et que les femmes à petite poitrine peuvent s'auto-exempter du port d'un soutien-gorge au moment de l'effort. Là encore, idée reçue ! Une poitrine, même petite, bouge. Certains scientifiques particulièrement doués pour allier travail et plaisir sont allés jusqu'à pratiquer des tests dont les conclusions sont irréfutables : pour les bonnets A et B, l'amplitude des mouvements de la poitrine peut atteindre quatre centimètres par rapport à sa position au repos. On est loin, évidemment, des... quatorze centimètres mesurés pour les poitrines les plus généreuses, mais ce n'est pas une raison !

Donc, j'insiste : pensez, Mesdames, au soutien-gorge adapté, disponible dans toutes les boutiques spécialisées. Il réduira les mouvements de la poitrine de 75 % contre 40 % pour le soutien-gorge classique. Et au besoin, n'hésitez pas à le rembourrer, voire à graisser les mamelons, histoire de prévenir quelque forme d'irritation que ce soit. Je suis sûr que vous trouverez toujours quelqu'un pour vous aider !

Sport et règles

Si vous êtes sportive, ce dont je vous félicite, il vous arrive sans doute d'avoir un coup de mou quand la séance programmée tombe pendant vos règles. Rassurez-vous, c'est normal : cette baisse d'énergie est due à une légère perte de fer. Et le fer, c'est important : ça aide à fixer sur les globules rouges l'oxygène transporté jusqu'aux muscles. Vous voyez l'enchaînement ? Moins d'oxygène, moins d'énergie, moins de performance, moins de souffle, moins d'envie...

Dans ce contexte, je ne vous en voudrai pas de faire l'impasse sur une ou deux séances. Mais vous pouvez aussi feinter en compensant l'absence de fer par l'alimentation. Pendant les règles, vous avez donc tout intérêt à vous rassasier de haricots, de lentilles, de pois chiches, de soja, bref, de légumineuses. Associées à de la viande rouge, des crustacées ou du poisson, elles feront merveille. Et vous échapperez définitivement à toute forme de carence en fer si vous ne lésinez pas sur les fruits secs comme les amandes ou les noix. Avec tout ça, vous êtes sûre de conserver une santé... de fer ! Et l'envie de bouger qui va avec.

Sport et grossesse

Faire du sport quand on est enceinte ? Mais oui ! Plus que jamais ! Je n'irai pas jusqu'à vous conseiller d'imiter Laurence de la Ferrière qui, il y a quelques années, nous avait narré ses aventures à 8 000 mètres d'altitude alors qu'elle était enceinte de cinq mois (exploit qui nécessite de longs mois d'acclimatation et qui ne peut être réservé qu'à une sportive de haut niveau), mais je ne saurais trop vous conseiller de faire de l'exercice, à condition que votre grossesse se passe normalement, que vous y alliez decrescendo au fil des semaines et, cela va sans dire, que votre médecin ne vous l'interdise pas.

Il importe, cependant, de respecter certaines précautions.

Primo, pas d'effort physique dans un environnement chaud et humide. Secondo, pas d'activité en altitude, au-delà de 2 500 mètres. Tertio, pas de plongée sous-marine, du fait des modifications de pression et des effets encore mal connus des mélanges respiratoires gazeux contenus dans les bouteilles sur le fœtus. Quarto, votre séance de sport ne devra pas vous faire dépasser 40 degrés de température corporelle. Je vous rassure : vous ne serez pas obligée de vous encombrer d'un thermomètre, une telle température n'étant atteinte qu'à l'occasion de très violents efforts.

À part ça, RAS, ou presque... Notez que les spécialistes (et je leur donne quitus) s'accordent pour dire que le pouls ne doit pas dépasser 70 % du maximum théorique. Le calcul est d'une simplicité déconcertante : prenez 220, retranchez l'âge de la future maman et gardez 70 % du résultat obtenu.

Ce n'est pas clair ? Sortez vos calculettes, je prends l'exemple d'une maman de 35 ans...

Posons l'opération :

220 – 35 = 185

185 × 0,7 = 130

Conclusion : notre maman de 35 ans ne devra pas dépasser 130 pulsations par minute au cours de son effort. Et ça tombe bien : ça correspond grosso modo à une bonne marche à vitesse soutenue. Tout ça pour vous dire que la marche est un sport que je recommande aux femmes enceintes, tout comme je recommande la natation qui épargne les chocs, vous évite les traumatismes articulaires et vous fait bénéficier de l'effet massant de l'eau, bon pour vous, donc bon pour le futur bébé.

L'avantage du sport en période de grossesse, c'est qu'il vous prépare physiquement à une épreuve qui, elle aussi, s'annonce physique. Un accouchement n'a rien d'anodin. Et il faudra bien compter deux mois (quatre, en cas de césarienne), après la naissance de votre enfant, pour vous remettre sérieusement au sport. Encore qu'élever un enfant, ce soit déjà du sport...

Aquabiking : pédaler dans l'eau, c'est tendance

Aquacycling, aquavélo, aquabiking, vélo aquatique... Appelez ça comme vous voudrez mais rendez-vous à l'évidence : ce sport attire de plus en plus d'adeptes.

Le principe ? D'une simplicité biblique : vous êtes assis sur l'un de ces vélos de salle qui font du surplace, sauf que vous êtes en maillot de bain et que le vélo se trouve dans une piscine. Remplie, la piscine...

Et ça change tout !

Dans l'eau, votre cœur bat moins vite que dans l'air : vous êtes donc susceptible de vous dépasser. De plus, immergé, votre corps est plus léger. Vous ressentez donc moins les efforts accomplis même si vos muscles travaillent pour repousser le poids de l'eau. Les séances durent en général moins d'une heure et vous aurez brûlé plus de graisses que vous ne le pensez avant même d'avoir eu l'occasion de vous plaindre d'une quelconque fatigue !

Notez que ce sport est à ma connaissance le seul qui vous permette de vous faire masser pendant l'effort. Un massage permanent, dû au mouvement de l'eau. Agréable, non ?

Les bienfaits de l'aquabiking ne s'arrêtent pas là. Ce sport permet de muscler rapidement le bas du corps, des mollets à la colonne vertébrale en passant par les cuisses, les fessiers et les abdos. Et tout ça en vous évitant des chocs, donc en préservant vos articulations. Pensez-y : les caresses de l'eau, c'est doux comme le frôlement d'un chat. Et ce sport en vogue est peut-être une bonne occasion pour celles et ceux qui rechignent à faire du sport de se jeter enfin à l'eau… À propos de liquide, il vous faudra payer. L'aquabiking n'est pas toujours donné. Celles et ceux qui ont la chance d'avoir accès à une piscine municipale où sont dispensés des cours collectifs (partiellement financés par leurs impôts locaux) se doivent d'en profiter. Sinon, il existe une variante, à condition d'habiter au bord de la mer : le longe-côte. Ce sport recrute de plus en plus d'adeptes de tous âges. Bon pour le dos, bon pour le cœur, bon pour l'équilibre, le longe-côte ne maltraite pas vos articulations et vous laisse le soin de choisir l'intensité de votre effort. Il consiste à marcher ou à courir dans l'eau, le long de la côte, comme son intitulé le suggère. Ça se fait à plusieurs, tout en papotant. Il se pratique au printemps comme à l'automne, l'été comme l'hiver, à condition de s'équiper d'une combinaison en néoprène.

La marche nordique, sport en vogue

Concentrez-vous : « Sauvakävely », ça vous dit quelque chose ? Non ? Normal. Ou alors, vous êtes agrégé de finnois. « Sauvakävely », ce n'est pas le nom d'un volcan mais le nom finnois de la marche nordique. Oui, finnois, car ce sport qui recrute de plus en plus d'adeptes nous vient de Finlande.

Pour faire simple, la marche nordique, c'est un peu comme le ski de fond mais sans les skis, sans la neige, sans le forfait hebdomadaire et sans la tartiflette à 50 euros la portion. En gros, il reste les bâtons dont on s'aide pour marcher. C'est tout et c'est déjà pas mal : on n'a pas connu de sport aussi plaisant à apprendre depuis l'invention de la pétanque. Plus simple, je ne vois pas : pendant la marche, vous accentuez le mouvement naturel des bras tout en propulsant votre corps vers l'avant à l'aide des deux bâtons.

Ce sport présente mille avantages. On peut le pratiquer à tout âge, quelle que soit sa condition physique, seul ou à plusieurs. Il est idéal pour celles et ceux qui ne se revendiquent pas sportifs mais pourraient se laisser tenter par l'idée de faire un peu d'exercice... Le mouvement sollicite les muscles de façon harmonieuse : les bras, les pectoraux, les épaules et le cou travaillent aussi, ce qui soulage les jambes et les fesses. Le corps s'en trouve tonifié, vous respirez mieux et, accessoirement, vous appréciez la beauté du paysage.

En résumé, la marche nordique est au sport ce que le Loto est au slogan publicitaire : c'est facile, c'est pas cher et ça peut rapporter gros côté santé. Pas cher ? Jugez plutôt : il vous suffira de vous équiper d'une paire de bâtons (quelques dizaines d'euros) qui se chargeront d'encaisser les vibrations à votre place. Choisissez-les bien : pour ce faire, multipliez votre taille par 0,7 et vous aurez la bonne longueur.

Body-combat : envie d'essayer ?

Vous aimez le fitness ? Vous ne détestez pas les arts martiaux ? Ou vice versa ? J'ai peut-être un sport à vous proposer, auquel vous n'auriez pas pensé : le body-combat.

Je ne vais pas prétendre que ça vient de sortir, puisque cela fait une bonne quinzaine d'années que le concept existe, à l'initiative d'un Néo-Zélandais qui s'est mis dans la tête de vous défouler et de vous amuser tout en faisant travailler votre corps, tout votre corps...

Le cours dure en général une heure. Vous vous battez contre vous-mêmes, mais vous le faites collectivement, au son d'une musique spécialement choisie pour l'occasion : en général, elle est populaire et son rythme est étudié pour accompagner votre effort cardiaque. Car le cardio travaille ! Tout comme l'endurance et les muscles ! Ceux des cuisses sont fortement sollicités (puisque vous êtes amenés à sauter et à balancer des coups de pieds à bonne hauteur, en équilibre plus ou moins maîtrisé, à un adversaire invisible) et ceux des épaules ou des bras ne sont pas en reste (puisque vous enchaînez les directs du droit et les crochets du gauche, quand ce n'est pas l'inverse).

À ce rythme vous êtes sûr d'évacuer votre stress et de griller des calories, entre 700 et 800 (au terme d'une séance d'une heure où vous n'aurez pas été largué).

Ainsi prospère le body-combat, plus ludique que violent, plus tonifiant que dangereux. Et toujours en évolution car, tous les trois mois, la chorégraphie change.

Et si, Mesdames, vous montiez sur le ring ?

Pratiquer un sport de combat ? Franchement, ce n'est pas la première idée qui vient à l'esprit quand on se décide à faire du sport. Surtout quand on est une femme. Et pourtant ! C'est bien à vous, Mesdames, que j'entends là m'adresser, en répondant à cette question que vous ne vous êtes peut-être pas posée mais à laquelle je souhaite répondre, car j'ai quelques arguments à faire valoir. La question, donc : peut-on être une femme et pratiquer un sport de combat ?

Voilà bien une interrogation de macho. J'assume. À la limite, je suis bien d'accord avec vous. Même s'il faut reconnaître que l'imaginaire collectif a un peu de mal à se représenter une femme donnant (et recevant...) des mandales, des bourre-pifs et des tartes...

Cette description, un rien provocatrice, ne passe pas la rampe. Car de plus en plus de femmes se mettent avec bonheur aux sports de combat. Et elles ont le choix !

La boxe ? Bienvenue sur le ring ! Mais attention : on parle là d'une boxe féminisée, pas de la boxe masculine qui finit tôt ou tard par vous envoyer vous faire recoudre ou redresser le minois, ce qui n'est pas le but du jeu. Moi, je vous parle du full-contact, une discipline où se conjuguent coups de poings et coups de pieds mais en version light : on se contente d'effleurer l'adversaire au lieu de l'envoyer au tapis.

Malgré la finesse de ma plaidoirie, la boxe vous déplaît toujours ? Pourquoi ne pas essayer le judo ? Bienvenue sur le tatami ! C'est le sport de défense par excellence : on exploite la force de l'adversaire pour le projeter au sol, voire l'y immobiliser. Ce sport est une déclinaison du jiu-jitsu, un art martial qui regroupe des techniques de combat héritées du Japon féodal. Le pratiquer, c'est renforcer le contrôle de l'esprit sur le corps. Et ce, sans s'exposer, car (le croirez-vous ?) « jiu-jitsu » signifie « art doux » en japonais, langue que je parle couramment, notamment sous la torture.

Non ? Pas de judo ? Alors l'escrime ? Bienvenue sur la piste ! Voilà un sport qui développe la capacité à se concentrer et à canaliser son stress. Épée, sabre ou fleuret au poing, on peut s'y mettre à tout âge. C'est excellent pour la ligne, ça renforce le cœur, ça vous sculpte une silhouette d'enfer et ça plaît beaucoup aux grandes timides, bien à l'abri sous leur masque…

Toujours pas ? Vous refusez de tirer ? C'est comme ça qu'on dit, dans le monde glamour de l'escrime…

Essayons donc le karaté ! Bienvenue dans le monde de l'esquive et du blocage ! Car c'est sur ces principes que repose ce sport tout indiqué pour les femmes, souvent plus aptes à éviter qu'à réellement frapper en force. Le karaté développe l'endurance, la souplesse, la tonicité et la vitesse.

Quoi qu'il en soit et quel que puisse être votre choix, soyez convaincues, Mesdames, que ces sports, dont l'image est parfois associée à la violence, peuvent aujourd'hui se pratiquer en toute sécurité. En outre, les bienfaits physiques qu'ils engendrent se doublent de bienfaits psychologiques : sur un ring, sur un tatami ou sur une piste, on se dépense, certes, mais on améliore aussi sa connaissance de soi et on gagne systématiquement en confiance. Et votre confiance en vous, Mesdames, c'est la certitude de notre intérêt...

Les gymnastiques douces

Celles qui ne se voient pas sur un tatami ou un ring peuvent se rabattre sur la gymnastique douce, capable, elle aussi, de maintenir en forme.

C'est par exemple le cas du stretching (*strech* signifie étirer en anglais), qui permet d'améliorer la souplesse corporelle. Cela vous inquiète parce que vous sentez raide comme un bout de bois ? Précisément... Vous constaterez, en effectuant les mouvements d'étirement que propose le stretching, qu'en travaillant votre respiration, vous êtes en mesure de vous découvrir plus souple que vous l'aviez imaginé. Certains gestes effectués en séance de stretching se retrouvent dans le yoga, autre gymnastique douce, venue de loin, géographiquement et temporellement puisqu'elle est originaire de l'Inde et qu'on la pratiquait déjà il y a cinq millénaires. Le yoga insiste sur les postures et la respiration. Il augmente la capacité de concentration, facilite la réduction du stress et renforce la maîtrise des émotions. En outre, il a la particularité d'être ouvert à tous les profils, de l'enfant à la personne âgée en passant par les femmes enceintes et les personnes handicapées.

Enfin, venu d'encore plus loin que le yoga, vous avez le tai-chi-chuan, un art martial chinois ancestral qui s'installe de plus en plus dans nos vies d'Occidentaux. À la différence du stretching et du yoga qui peuvent se pratiquer dans une ribambelle de positions, le tai-chi-chuan se réalise exclusivement debout. Cette discipline fait l'éloge de la lenteur dans l'accomplissement de mouvements d'une grande précision. La difficulté consiste évidemment à rester fluide et souple en toutes circonstances. Apaisant mentalement, le tai-chi-chuan recrute prioritairement parmi les personnes du troisième âge soucieuses d'améliorer leur souplesse et de renforcer leurs articulations.

Stretching, yoga ou tai-chi-chuan, vous n'avez plus qu'à faire votre choix, en privilégiant les séances collectives : d'abord parce que c'est plus agréable, ensuite parce que vous aurez toujours besoin d'un professeur qui vous guidera et vous empêchera de faire de mauvais gestes, ce qui aboutirait à l'inverse de l'effet recherché.

Le mirage de la testostérone

Je ne vais pas entamer ici un énième plaidoyer contre le dopage mais simplement m'attarder sur une pratique qui, hélas ! a tendance à se développer dans le milieu sportif amateur : la prise de testostérone. Je m'adresse là non pas à ceux qui ont une activité physique raisonnable et régulière mais aux apprentis champions qui, s'étant mis en tête de battre toujours plus de records personnels ou n'acceptant pas, avec l'âge, le déclin de leurs performances, sont prêts à livrer leur corps et leur santé au premier médecin sans scrupule venu, ou à dealer dans les arrière-salles de certains clubs de gym. Je voudrais leur détailler les raisons physiologiques pour lesquelles ils sont tentés (histoire de déculpabiliser) et les mettre en garde sur les conséquences auxquelles ils s'exposent (histoire de mobiliser).

La testostérone, c'est l'hormone du désir, de la libido mais aussi l'hormone du muscle. Son taux varie d'un homme à l'autre : il va de 2,5 à 10 nanogrammes par millilitre (un nanogramme, c'est 10 puissance – 9 gramme...). À 2,5 nanogrammes, vous avez la force et la libido d'un pétoncle. À 10, vous êtes, disons, hyperactif... La pratique régulière de sports intenses (genre le marathon) peut conduire à l'épuisement de la testostérone... De là vient la tentation de se doper : on veut rééquilibrer son taux en se gavant de stéroïdes anabolisants sous forme de comprimés, de gels ou par injections... Cette envie peut être d'autant plus pressante que l'on vieillit : il faut savoir qu'à partir de 50 ans, l'homme perd 1 % de testostérone par an. Il expérimente par ailleurs des choses aussi réjouissantes que la fonte musculaire, la perte de force et de poils, la prise de gras notamment au niveau de l'abdomen. Il peut mal le vivre et ce n'est pas l'humour ambiant et un rien vachard, qui se gausse de « la maladie du boulanger » (« La maladie du boulanger, c'est quand la brioche tombe sur la baguette... »), qui va lui remonter le moral...

Pourtant, je ne saurais trop vous conseiller de ne pas mettre le doigt dans l'engrenage du dopage. D'abord, il faut savoir que le mot « anabolisant » veut dire « médicament qui favorise la construction de tissus à partir de substances nutritives ». Autrement dit, ça fait prendre du muscle, ce que l'on a pu vérifier à maintes reprises chez des sportifs médiatisés qui disparaissaient de la circulation pendant des mois pour réapparaître un jour, plus musclés que jamais. Malheureusement, quand ils disparaissent de nouveau, c'est pour endurer les effets secondaires qui les touchent aussi, tant physiquement que psychiquement. La liste en est longue :

– lésions tendineuses : trop de muscle par rapport aux tendons qui, eux, restent les mêmes,
– apparition d'acné,
– développement des seins (chez l'homme),
– augmentation de la libido (chouette) mais aussi de l'agressivité (nul),
– problèmes et arrêts de croissance chez l'enfant,
– chute des cheveux,
– cancers de la prostate ou du foie (chez l'homme),
– apparition de diabète,
– virilisation (chez la femme),
– infertilité ou stérilité par diminution de la fabrication des spermatozoïdes qui, comme chacun sait, sont fabriqués par les testicules (c'est leur fonction exocrine), lesquelles fabriquent aussi la testostérone (c'est leur fonction endocrine).

À ces troubles, dont je précise qu'ils sont pour la plupart irréversibles, s'ajoutent de possibles modifications suspectes. Je me rappelle ces athlètes américains qui attendaient tous d'avoir 20 ou 25 ans pour se faire poser des appareils dentaires. On nous a expliqué qu'ils faisaient cela dans le cadre d'un rééquilibre général de la posture et de leur centre de gravité, histoire d'améliorer leur technique de course. En fait, la prise de stéroïdes anabolisants favorise certains développements osseux, notamment au niveau de la mâchoire inférieure ; et il y a fort à parier que certaines stars de l'athlétisme se sont retrouvées prognathes avec des dents qui se déchaussaient trop facilement ! N'allez cependant pas imaginer qu'un sportif qui porte un appareil dentaire est forcément suspect. La bonne santé dentaire est, particulièrement pour ceux qui ont fait du sport leur métier, un gage de diminution des blessures musculaires.

Tout ce que le sportif doit faire

– Regardez l'heure.

S'il est tôt et que vous sautez du lit, vous devez prendre conscience que votre corps est sans doute moins bien réveillé que votre esprit ! Avant votre séance de sport matinale, il faut toujours prévoir un échauffement plus important et plus progressif. Commencez par un réveil articulaire, pour dérouiller prudemment vos membres, avant de passer à l'échauffement des muscles et aux mouvements qui demandent des efforts cardiaques. L'objectif ? Faire monter la température de votre corps. Si vous commencez à transpirer, c'est bon signe : cela signifie que l'échauffement est réussi, vous pouvez y aller. D'une manière générale, l'échauffement est primordial. Vous me direz : « On connaît la consigne. » Je vous répondrai : « C'est pourtant l'une des moins observées ! » Un bon échauffement, ne l'oubliez jamais, permet certes d'améliorer les performances, mais aussi de diminuer le risque de blessures. Et s'il prépare physiquement en augmentant la température corporelle, il prépare également mentalement en favorisant la concentration.

– Prenez soin de vos pieds.

Et pour cause, ils sont très sollicités lors des activités sportives. Tout sportif doit porter des chaussures respirantes car elles évitent une trop grande transpiration et limitent ampoules et frottements. Les chaussures doivent également avoir un bon amorti pour diminuer la fatigue, celle-ci pouvant entraîner une fracture du même nom. Je ne cherche pas à vous affoler, mais sachez que la fracture de fatigue (fine fissure de l'os) est beaucoup plus fréquente qu'on l'imagine et, contrairement à ce que l'on pourrait penser, prend un malin plaisir à toucher les personnes dont la condition physique est réputée irréprochable.

– Apprenez à bien respirer.

Lors de votre séance de sport, il est important d'adopter une bonne respiration. En effet, votre rythme de respiration va influencer votre fréquence cardiaque et, si votre respiration est désordonnée, vos capacités physiques s'en ressentiront. La première chose à faire est de chercher votre rythme idéal de respiration et de le caler sur le rythme de vos mouvements. La meilleure technique, c'est d'expirer sur la phase la plus difficile du mouvement, et d'inspirer sur l'autre phase. Et n'oubliez pas : pour pouvoir inspirer à fond, il faut d'abord avoir expiré à fond !

– Utilisez un cardio-fréquencemètre.

Ce n'est pas un ordre, juste un conseil... Visualiser l'effort que fournit votre cœur pendant votre entraînement peut vous être très utile. En effet, il ne faut pas travailler au même rythme selon que l'on cherche à maigrir ou que l'on veut entraîner son cœur à l'endurance... Surveillez votre fréquence cardiaque, tout en connaissant votre fréquence maximale et vous améliorerez ainsi la qualité de vos séances sportives !

– Variez les plaisirs.

Pectoraux-dorsaux-abdos... Vous avez l'impression que toutes vos séances de musculation se ressemblent mais vous ne voyez pas comment échapper à cette petite routine faite d'enchaînements d'exercices vus, revus et re-revus. Et si vous bousculiez vos habitudes ? En musculation, il est bon de varier ses entraînements car le corps finit par s'adapter aux routines que vous lui avez créées ; au bout d'un certain temps, il ne progresse plus. Tous les mois, efforcez-vous de changer d'exercices ou de méthodes d'entraînements. Pensez, par exemple, au circuit training, dans lequel vous enchaînez plusieurs séries d'exercices brefs, qui développent autant le corps que le cœur ! Ce conseil pour varier les séances vaut aussi pour les amateurs de footing :

pensez, de temps à autre, à passer au fractionné, c'est-à-dire à alterner allure élevée et allure douce. Cette technique permet d'améliorer l'endurance et de travailler la technique de course. Essayez : un peu de course rapide, un moment de course lente, tout en écoutant votre corps et sans forcer ! Et si, au début, vous avez du mal à tenir le rythme, remplacez la course lente par de la marche, tout simplement. Par ailleurs, cette technique du fractionné, quand elle est utilisée en côte, est un bon moyen de travailler de concert résistance et endurance. C'est aussi un excellent moyen de renforcer les muscles des jambes, mais aussi (et ça vous ne le saviez sans doute pas) les muscles du haut du corps (dos, trapèze, bras) qui sont davantage sollicités quand vous grimpez.

– Soyez attentif à vous-même.

Il peut vous arriver, alors que vous pratiquez votre activité sportive habituelle, de ressentir des symptômes inhabituels. C'est que votre corps vous parle. Donc ouvrez les oreilles ! Certaines sensations doivent vous alerter : une douleur dans la poitrine, par exemple, qui peut irradier dans le côté gauche, un essoufflement anormal dont vous peinez à vous remettre, des palpitations fortes pendant ou après un effort... Tout cela peut trahir une affection cardiaque. Arrêtez-vous immédiatement et appelez votre médecin.

– Avancez étape par étape.

François Mitterrand avait coutume de dire qu'il faut « donner du temps au temps ». Soyez mitterrandiste ! Faites de même. En sport comme en politique, à vouloir cavaler, on risque la chute ! Pour vous, cela pourrait se traduire par une blessure, voire une perte de motivation, qui vous donnerait l'impression de repartir à zéro, physiquement et moralement. Si vous repartez... Tous les médecins du sport vous le diront : il faut s'entraîner crescendo, autant en volume qu'en intensité et, surtout, ne jamais négliger des étapes qui paraissent rébarbatives mais sont primordiales et dont je vous parle plus en détail par ailleurs : l'échauffement (avant l'effort) et les étirements (après l'effort).

– Étirez-vous.

Nombre de sportifs accomplis estiment qu'ils n'ont plus besoin de s'étirer. Ils se croient suffisamment souples ou, tout simplement, oublient cette étape élémentaire. Les étirements, par leur action drainante, permettent au corps de mieux récupérer, en plus de leur action évidente dans l'assouplissement du corps. Ils favorisent aussi le retour du sang vers le cœur. Bref, faire l'impasse sur les étirements peut vous freiner dans votre progression. Profitez donc de la période de récupération, juste après votre séance, ce ne sera pas du temps perdu ! Je n'ignore pas que, dans un passé récent, certaines voix se sont élevées pour remettre en cause les étirements, « susceptibles d'entraîner des microtraumatismes ». Ces voix méritent d'être entendues par celles et ceux qui auraient tendance à aller chercher le point de rupture. Aussi, je le leur dis et le leur répète : l'étirement ne doit en aucun cas être une douleur. Chacun doit procéder comme il le sent, de façon adaptée et mesurée. Sinon, le mieux est encore de bénéficier d'un massage des jambes, pour drainer et soulager les muscles. Ne vous reste plus qu'à trouver une bonne âme compétente en la matière...

– Soignez la récupération.

Afin de réaliser une bonne séance de sport, il est important d'avoir bien récupéré de la précédente. Eh oui, parce que quand c'est fini, figurez-vous, ce n'est pas fini ! La récupération fait pleinement partie de tout programme d'entraînement sérieux. Les règles à respecter ? Boire régulièrement, avoir une alimentation adaptée avec des féculents, notamment, et s'octroyer un temps de sommeil régulier et suffisant. C'est parce que vous n'aurez pas occulté cette partie de la séance que vous serez d'attaque pour la suivante !

Sportifs de tous les pays, de toutes les conditions, de tous les niveaux, n'oubliez pas de planquer une **poche de glace** dans votre congélateur ! Si vous souffrez d'une déchirure, d'une élongation, d'un claquage, d'une contusion, il vous faudra appliquer du froid sur la zone concernée. Et le faire le plus vite possible ! Et comme vous aurez mal, vous n'aurez pas envie de courir je ne sais où pour vous en procurer.

Le froid permet de réduire l'œdème. Il ralentit l'afflux de sang dans les fibres. Conséquence immédiate : la douleur est anesthésiée. Voilà pourquoi il n'est pas inutile d'avoir, en permanence chez soi, une poche de glace qui se fera un plaisir de vous attendre dans le congélo. Au cas où. Et en espérant ne jamais avoir à s'en servir...

Tout ce que le sportif doit éviter

– Évitez de boire du café juste avant de faire du sport.

Le « petit noir » a beau être une institution française, il n'en a pas moins un effet diurétique et il accélère le rythme cardiaque, entraînant une hypertension artérielle. Oui, le café est un piège à sportif ! On dit qu'il réveille, il est réputé stimuler les fonctions cérébrales et on finit par croire qu'il facilite l'effort physique... Monumentale erreur. En fait, le café diminue l'afflux sanguin au niveau du cœur, ce qui fait que l'organisme est moins bien oxygéné quand on en boit...

– Évitez de faire du sport lorsqu'il y a un pic de pollution.

Déjà, en mode repos, la pollution a des effets néfastes sur l'appareil respiratoire. Donc si vous vous agitez, forcément, ça se complique... Quand on accomplit un effort, on accélère l'activité respiratoire et donc la fréquence à laquelle on inhale l'air extérieur et les particules fines qui vont avec. Les « saloperies » aux noms aussi poétiques qu'ozone, dioxyde d'azote ou soufre agressent les muqueuses respiratoires. Elles peuvent provoquer des toux, des essoufflements et même entraîner une bronchite chronique.

– Évitez de trop vous écouter.

Il peut vous arriver, si vous êtes fatigué, de repousser *sine die* votre séance de sport pourtant prévue de longue date. Maintenez-la. Vous vous sentirez beaucoup mieux après ! Ce qui importe en cas de coup de pompe, c'est d'adapter l'intensité de la séance et surtout d'en profiter pour vous concentrer sur la partie technique plutôt que sur la partie physique. Il sera toujours temps de battre vos records personnels quand la forme sera revenue...

– Évitez de vous tromper de chaussures.

Cela vaut particulièrement pour les adeptes du jogging. Avez-vous déjà essayé de courir pieds nus ? Je sais que certains le préconisent mais franchement, c'est désagréable, hein ? On ne saurait mieux prendre conscience de l'importance des chaussures ! Le running ne doit pas être pris à la légère : il demande du bon matériel. Alors je sais bien que le shopping sur le net est à la mode, mais je vous conseille de profiter de conseils personnalisés lors de votre achat. Dans un magasin spécialisé, vous trouverez à coup sûr un vendeur qui s'y connaît et vous prendra au sérieux. S'il vous propose d'analyser votre foulée (en vous faisant courir sur un tapis ou en inspectant les traces d'usures de vos vieilles chaussures), c'est plutôt bon signe. S'il vous pose des questions précises sur la durée et le nombre de kilomètres de chacune de vos sorties, c'est également bon signe... Par ailleurs, vous avez sans doute entendu parler de ce que l'on appelle « le confort d'accueil ». Il est primordial et doit guider votre choix, sans que vous vous embarrassiez de considérations esthétiques. Une bonne paire de chaussures de running est une paire dans laquelle vous vous sentez instantanément bien. Point barre ! Je me fous qu'elle soit rose fluo ou vert pomme ! Soyez également attentif à l'amorti de la chaussure. Il doit être assuré à l'avant ET à l'arrière. Certes, l'avant est important. Mais au bout d'un moment, quand la fatigue se fait sentir et que vous commencez à tirer la langue, l'arrière le devient aussi car on attaque le bitume par l'arrière du pied. Autre recommandation : prenez une taille au-dessus de celle de vos chaussures de ville. Ça évitera à vos orteils de buter sur le bout de la chaussure car après quelques kilomètres de course, le pied gonfle... J'insiste, au risque de radoter : les chaussures doivent être de qualité, c'est-à-dire combiner maintien, souplesse et amorti. Un choix adapté à votre pratique vous évitera, en outre, de faire l'une des pires erreurs que font les sportifs amateurs. Quand ils estiment que leurs articulations sont fragiles, ils désertent le bitume et leur préfèrent les chemins, où le sol est plus meuble. Quelle mauvaise idée ! Les sols durs peuvent certes être traumatisants pour les articulations mais ils assurent plus de stabilité. J'en reviens donc à la chaussure : c'est LA solution !

– Évitez d'enchaîner repas et sport.

Lorsque vous avez mangé, laissez-vous un répit de trois heures avant de pratiquer une activité sportive : c'est le temps d'une digestion complète. D'ailleurs, c'est ce que font les sportifs de haut niveau ; il doit bien y avoir une raison non ? Cela étant dit, on peut aussi inverser les données du problème et se demander ce qu'il faut manger avant de faire du sport... Eh bien sachez qu'il ne faut pas lésiner sur les féculents (pâtes, riz...), les protéines maigres comme le poisson ou la viande blanche (poulet, dinde) et les légumes riches en fibres. En revanche, n'abusez pas des produits laitiers : ils peuvent esquinter vos tendons.

– Évitez la fringale.

Elle est l'ennemie du sportif ! Mais il est tout à fait possible de la prévenir. Pour cela, emportez toujours avec vous de quoi vous hydrater et vous nourrir. Mais, surtout, n'attendez pas de ressentir la soif ou la faim, car ce serait déjà trop tard. Il est important de prendre les devants afin de garder constamment un maximum de carburant dans l'organisme. Buvez donc régulièrement, par petites gorgées et, de même, pensez à vous nourrir régulièrement, en petites quantités. Il existe des aliments très énergétiques comme les barres de céréales ou les fruits secs. Ayez-en toujours sur vous !

– Évitez de vous arrêter sans raison.

L'arrêt de l'activité physique entraîne une détérioration rapide de la capacité des vaisseaux à se dilater. Et à terme, les artères se rigidifient. Et c'est dommage, surtout si auparavant, vous avez donné de bonnes habitudes à votre corps. L'activité physique a en effet ceci de particulier qu'elle améliore la vasomotricité des artères (autrement dit leur capacité à changer de diamètre), ce qui permet une meilleure circulation du sang et donc un meilleur apport en oxygène et en nutriments. Ce mécanisme contribue à détoxifier l'organisme en favorisant l'élimination des déchets et en réduisant leur stockage dans le tissu adipeux. Donc sportif vous êtes, sportif je vous conseille de rester !

Le sport pour prévenir l'ostéoporose

Pour avoir des os costauds, je recommande, vous vous en doutez, de pratiquer régulièrement une activité physique. C'est l'un des moyens les plus indiqués pour prévenir l'ostéoporose, qui se traduit par une fragilité du squelette due à la diminution de la masse osseuse. Les facteurs de risque de cette maladie sont multiples : l'origine ethnique, les antécédents familiaux, la consommation excessive de sel, de café ou de tabac, l'insuffisance rénale, la sédendarité, la carence en calcium, en protéines, en vitamine D et, bien sûr, l'âge. D'où la question, pertinente : le fait de débuter une pratique sportive tôt dans la vie exerce-t-il une influence plus importante sur le capital osseux, comparée à celle d'une activité démarrée plus tardivement ?

Pour répondre à cette question, 64 femmes, joueuses de tennis ou de squash, ont été sélectionnées puis divisées en deux groupes : d'un côté, celles qui avaient démarré ces activités tôt dans leur vie, de l'autre, celles qui avaient commencé tard. Première observation : le gain de densité osseuse (mesurée au niveau de l'humérus dominant, le plus long) s'est maintenu dans les deux groupes. Mais les femmes ayant commencé leur pratique sportive précocement en ont plus profité. Conclusion numéro 1 : pour conserver son précieux capital osseux, il est recommandé de pratiquer une activité physique régulière dès le plus jeune âge.

En marge de cette évidence, il est plus compliqué d'évaluer l'intensité du bénéfice en fonction du type d'activité sportive pratiqué. Une équipe de chercheurs s'est cependant penchée sur la question en testant quelque 2 000 personnes, hommes et femmes, âgés de 45 à 74 ans, donc en âge de commencer à se poser des questions mais ne présentant, au moment de l'expérience, aucun signe d'ostéoporose ou de fracture récente.

Les activités physiques ont été répertoriées en quatre catégories selon leur impact éventuel sur la densité du squelette :

– les « sans impact » comme la natation, le golf ou la pêche à la ligne,

– les « faible impact » comme le vélo, l'aviron ou l'équitation,

– les « impact modéré » avec les arts martiaux, le ski ou la marche,

– les « fort impact » comme les sports collectifs, le jogging, le tennis ou l'aérobic intense.

Les chercheurs ont ensuite mesuré la densité osseuse des cobayes. Conclusion numéro 2 : plus l'impact est élevé, plus les os sont solides.

Mais ils ont aussi découvert autre chose : la relation « impact croissant/forte densité osseuse » se renforce avec la durée hebdomadaire de l'activité chez les hommes, mais pas chez les femmes ! Pour elles, on observe une corrélation avec l'activité quotidienne.

Conclusion des conclusions : pour se construire et jouir d'un bon capital osseux, les messieurs doivent opter pour une activité hebdomadaire de préférence à fort impact et les dames pour une pratique la plus régulière possible, idéalement quotidienne.

4

Les conseils pour garder la forme

Boostez votre moral en 5 points

Fatigué ? Apathique ? Raplapla ?

Le seul fait d'en être conscient est déjà une bonne chose : cela invite à réagir. Et les leviers que vous pouvez actionner pour redresser votre moral sont beaucoup plus simples et accessibles que vous ne l'imaginez.

1. Demandez-vous ce que vous faites par plaisir et ce que vous faites par devoir. Une fois les choses identifiées, faites en sorte de mettre un peu plus de plaisir et un peu moins de devoir dans votre quotidien.

2. Évitez de rester seul. Obligez-vous à passer un peu de temps avec vos amis.

3. Faites de l'exercice. Si le sport vous rebute, vous pouvez vous contenter de quelques mouvements ou d'une simple marche. En la matière, tout est bon à prendre, du moment que vous sécrétez

des endorphines, hormones qui sont les meilleures alliées de votre envie de vie et de votre bonne humeur.

4. Tant qu'à bouger, même un peu, faites-le à l'extérieur pour profiter au maximum de la lumière du jour. Cette lumière doit faire l'objet d'une quête permanente car elle vous recharge en sérotonine, laquelle agit contre la dépression.

5. Réfléchissez à ce que vous mangez ! Misez sur les vitamines B, le magnésium ou le zinc : ils sont excellents pour votre humeur.

Combattez la fatigue post-rentrée

La fatigue nous guette tous, et toute l'année. Mais il est des moments où elle s'invite plus volontiers : quelques semaines après la rentrée, par exemple. Les vacances ne sont alors plus qu'un lointain souvenir et vous sentez poindre les premiers signes de lassitude. C'est quasi inéluctable car avec la reprise, on change d'équilibre et les plages de sommeil s'écourtent. En plus, quand vient l'automne, les jours rapetissent et l'idée selon laquelle la météo va se dégrader un peu plus s'ancre inconsciemment mais solidement dans le cortex.

Rester les bras ballants ?

Que nenni ! Vous devez lutter contre cette idée.

L'une des premières choses à faire est de miser sur l'exercice physique. Si le sport fait partie de votre vie, ne lâchez rien, ne cédez pas à la démotivation. Si le sport reste pour vous une notion abstraite, je vous recommande de marcher un minimum et, à l'occasion, de préférer les escaliers à l'ascenseur. Ce sera toujours ça de pris à l'ennemie.

Vous pouvez aussi agir sur votre alimentation. La fatigue est souvent révélatrice d'une carence en fer. Du coup, misez sur les aliments riches en fer tels que la viande, le poisson et les légumes secs comme les lentilles ou les haricots secs. Côté légumes, ceux qui arrivent à pleine maturité au mois d'octobre sont les racines comme la betterave ou la carotte.

Et puis, vous pouvez également agir sur vos loisirs. Il n'est pas trop tard pour se mettre au diapason de la rentrée culturelle. L'automne voit débarquer une ribambelle de nouveaux livres dont la presse se fait volontiers l'écho : choisissez le vôtre, ça vous changera les idées et, surtout, vous permettra d'échanger avec vos proches.

Enfin, il y a une chose qui rassérène et remet d'aplomb : la pensée positive. Quand pointe l'automne, il n'est pas trop tôt pour penser à Noël. Que ferez-vous ? Avec qui et où réveillonnerez-vous ? Et puis il faudra gâter les enfants, les neveux, les cousins… Demandez-leur de penser dès maintenant à leur liste de cadeaux ! Ou faites-en une pour eux ! Bref, débarrassez-vous de ces questions dès maintenant, cela vous allégera l'esprit, ce qui est un premier pas vers une meilleure forme physique. Quand la tête va, le corps suit…

Le **virus de la grippe** est retors : il évolue rapidement. Voilà pourquoi je vous conseille, si vous avez 65 ans ou plus, de vous faire vacciner tous les ans. Ne vous laissez pas abuser par le discours ambiant qui, souvent, minimise la dangerosité de la grippe au prétexte que, la plupart du temps, elle guérit spontanément. Cette infection respiratoire est contagieuse, responsable de nombreuses complications et parfois tout simplement mortelle. Parlez-en à votre médecin traitant, il saura vous conseiller.

Contre le blues hivernal

L'hiver, la pluie, la neige, le froid, la grisaille et l'envie de rien… On connaît tous l'enchaînement. Moral en berne ? Fatigue chronique ? Poussée d'anxiété ? Concentration chaotique ? Rien ne va ? Courage ! Le pire n'est pas spécialement sûr. Il se peut que vous soyez tout bêtement victime d'un blues hivernal, une petite dépression saisonnière qui, comme son nom le laisse suggérer, vous tombe dessus en hiver.

Vous n'êtes pas spécialement fautif, mais vous pouvez agir sans attendre le retour du printemps et des beaux jours.

Pas fautif car tout cela est surtout une affaire de luminosité. Lors d'une belle journée d'été, on se prend 100 000 lux dans la poire (le lux est l'unité de mesure de la luminosité). Ça donne la pêche ! Sauf que l'hiver, ça peut chuter à 2000 lux. C'est peu. Trop peu. Du coup, vous perdez la banane. Votre horloge biologique interne ne fonctionne pas aussi bien qu'elle le devrait. Un exemple : la mélatonine (hormone du sommeil) dont la sécrétion dépend de la lumière. Elle est inhibée le jour et stimulée la nuit. Mais les jours de grisaille, ou quand il pleut, l'organisme en sécrète davantage, ce qui n'est pas pour vous mettre en super forme...

Face à cela, vous pouvez agir. Soyons radicaux ! Pourquoi ne pas tenter des séances de luminothérapie ou de photothérapie ? Ces lampes se révèlent souvent aussi efficaces que les antidépresseurs, les effets secondaires en moins. Équipées de filtres ultraviolets et infrarouges, elles ne présentent aucun risque pour votre peau. On peut en louer, on peut en acheter, on peut se les faire prescrire... Elles n'ont qu'un défaut : la Sécurité sociale ne les rembourse pas. Pas encore...

La relaxation est bonne pour le dos et le reste

Vous connaissez l'expression : « J'en ai plein le dos. » Variantes : « Je suis fatigué », « Je n'en peux plus », etc. Cette expression n'a pas fait fortune par hasard. Elle dit bien ce qu'elle veut dire, à savoir que votre corps est sous tension et que tout se concentre sur votre dos. Dans ce cas, l'une des pistes à explorer reste plus que jamais la relaxation. On n'y pense pas systématiquement et on a tort, car elle est à la portée de tous.

La relaxation consiste, dans un premier temps, à une déconcentration mentale et musculaire, obtenue par des exercices visant à prendre conscience de son corps et de ses pensées. Elle se pratique sans équipement particulier, sans abonnement Premium à la salle de sport du coin et sans avoir besoin d'adversaire. Vous n'avez qu'à prendre rendez-vous avec vous-même et n'avez besoin que de votre corps et d'un peu de temps. Avouez qu'économiquement, c'est tout bénef !

Diverses techniques proposées concourent au même résultat : libérer le corps d'une tension trop importante. L'environnement doit être favorable. On ne se relaxe pas en écoutant *Sympathy For The Devil* des Stones à fond les ballons ! Il faut privilégier une pièce calme, dans la semi-obscurité, une température moyenne, des vêtements amples, ni trop chauds ni trop légers.

La relaxation peut se pratiquer :

– en position assise : fauteuil confortable, nuque bien calée et bras reposant sur les accoudoirs,

– en position allongée : la tête un peu soutenue, une légère couverture sur le corps, les bras le long du corps et les pieds légèrement écartés.

Il convient de faire le vide mental. Pour y parvenir, il est indispensable de se débarrasser des pensées parasites et de tout ce qui peut y mener. Donc on évite de garder son smartphone à portée de main... L'injonction vaut aussi pour les tablettes tactiles dont la lumière bleutée n'aide en rien (c'est un euphémisme) à se relaxer. Quant à la télé, ce n'est même pas la peine de demander, c'est non ! Même en sourdine.

Une fois les paupières fermées, vous allez prendre conscience de votre respiration. Écoutez-la, savourez-en le son. Inspirez et expirez lentement, profondément. Ce rythme, apaisant, amène votre corps à se décontracter.

À quoi penser ?

À vos muscles.

Contractez-les, puis décontractez-les. Un à un. L'idéal est de commencer par les pieds puis de remonter jusqu'à la tête. Prenez le temps de vous concentrer sur eux lorsque vous les relâchez.

Les yeux toujours fermés, vous avez alors tout loisir de vous construire votre petit monde idéal. Visualisez une couleur. Celle que vous préférez. Le bleu si c'est le bleu, le rose si c'est le rose. Visualisez un lieu, un objet, une scène qui vous ont fait du bien. Remplissez-vous d'images positives associées au bonheur, au succès, au sentiment de sécurité, tels que vous les concevez. Vous aimez le bruit de la mer ? Pensez-y ! Vous aimez l'odeur de la menthe ? Pensez-y aussi ! Les éclats de rires de votre dernière réunion entre amis résonnent encore en vous ? Prolongez le plaisir, c'est gratuit !

Ces exercices, je le répète, sont à la portée de tous. Ils paraissent banals et convenus, mais on ne soupçonne pas tous les bienfaits qu'ils génèrent en reconnectant ceux qui s'y livrent à leur intériorité. Mon conseil : les pratiquer le matin ou après une journée de boulot (avant de passer à table). Vous pouvez choisir de vous y plier une heure ou une dizaine de minutes, en fonction de vos besoins et de votre envie, du temps dont vous disposez. Mais sachez que plus vous les pratiquerez, plus il vous sera possible de vous relaxer rapidement. Simple question d'entraînement. Le corps apprend vite.

Prévenir les Troubles Musculo-Squelettiques

Nos muscles, nos tendons et nos nerfs appartiennent à la famille de ce qu'on appelle dans le jargon physiologique « les tissus mous ». Nous les sollicitons en permanence et prêtons donc le flanc à toutes sortes de pathologies : tendinite (inflammation ou dégénérescence du tendon), syndrome du canal carpien (compression du nerf médian qui se traduit par une douleur dans la main, voire dans le bras), ténosynovite (rhumatisme de l'épaule, de la main ou du pied), épicondylite (le fameux tennis-elbow), hygroma (vous avez le coude qui double de volume, c'est très sexy...), j'en passe et des plus fleuris, comme la tendinopathie de la coiffe des rotateurs (dont vous retiendrez qu'elle se traduit par une douleur à l'épaule gauche avant de passer à l'épaule droite quand ce n'est pas l'inverse)... Ces affections peuvent être nerveuses (le nerf est comprimé et ne transporte plus l'influx nerveux normalement), musculaires (le muscle se contracte, les vaisseaux sanguins se tendent, l'évacuation des déchets se complique, bonjour le lumbago) ou encore discales (vous êtes bons pour la hernie). Toute cette ribambelle de menus plaisirs s'inscrit dans la catégorie des TMS, les Troubles Musculo-Squelettiques. Ils font des ravages dans les pays développés, parfois même à l'insu des personnes qui en sont victimes, tout le monde ne prêtant pas forcément attention aux signes annonciateurs de ces affections. Ils sont pourtant clairement identifiés et vous avez le devoir de vous poser des questions si :

– vous ne pouvez faire le moindre effort sans ressentir des courbatures,

– vous vous apercevez que vous ne parvenez plus à faire des efforts qui ne vous posaient aucun problème auparavant,

– vous avez l'impression qu'une fourmilière a élu domicile dans votre main (picotements, engourdissement...),

– vous constatez des pertes de sensations inexpliquées et insistantes,

– vous êtes l'objet de crampes ou de raideurs chroniques,

– l'un de vos doigts a tendance à se replier sans que vous lui en ayez donné l'ordre, tout seul, comme un grand (parce qu'il est majeur, voire index ou pouce...).

Le stress, les efforts démesurés, le travail statique et les gestes répétitifs peuvent être à l'origine de ces symptômes qui surgissent plus volontiers l'hiver, le froid ayant tendance à compliquer la donne.

Mais il existe un moyen imparable de limiter les dégâts : échapper à ces phénomènes ! Pour honorer cette lapalissade, je vous invite à tenir compte de quelques conseils préventifs.

Contre les douleurs cervicales

– Au fait, c'était quand, la dernière fois que vous avez changé d'oreiller ? La question n'est pas anodine : des cervicales en bon état, ça passe par un oreiller de qualité, donc non usé. Après, il importe de le choisir en fonction de la position dans laquelle vous dormez.

Si vous roupillez sur le côté, l'oreiller sera épais, de manière à bien maintenir vos cervicales. Vous préférez vous allonger sur le dos ? Pas de problème : offrez-vous un oreiller plutôt ferme. Vous êtes plutôt du genre à vous affaler sur le ventre ? C'est le moment d'investir dans un oreiller plat, souple et peu volumineux : ainsi, votre tête restera dans le prolongement de votre colonne vertébrale.

– À quand remonte votre dernier contrôle ophtalmologique ? Et votre dernière visite de routine chez le dentiste ? Questions encore moins anodines que la précédente... Bien des douleurs cervicales proviennent de problèmes dentaires ou oculaires. Quand l'œil fatigue, le cou se tend, sollicite à l'excès les muscles de la base du crâne qui ont la mauvaise idée de fonctionner directement avec les yeux. Et la boucle est ainsi bouclée... Pour la rompre, consultez une fois par an. Et pensez à ces choses simples comme la chasse aux reflets sur l'écran ou le réglage de sa luminosité (qui peut varier tout au long de la journée).

– Mesdames, je sais, pour vous l'avoir entendu dire, que votre sac à main contient toute votre vie... Et forcément, ça pèse... Donc le porter toujours à la même épaule finit par entraîner un déséquilibre prélude à des douleurs cervicales. Solution n° 1 : alterner épaule droite et épaule gauche. Solution n° 2 : faire le ménage dans votre sac pour l'alléger. Solution n° 3 : trimbaler deux sacs (l'un à l'épaule, l'autre à la main) qui seront forcément moins lourds. Solution n° 4 : opter pour le sac à dos, même si, sur une robe longue à dos nu, c'est moyen...

– Aux drogués du smartphone et de la tablette tactile, je rappelle qu'il faut garder la nuque et le dos aussi droits que possible. Sinon, c'est le text-neck assuré ! Il faut donc s'efforcer de poster l'écran à hauteur des yeux, histoire d'éviter de pencher la tête en avant ou de fléchir le cou. Par ailleurs, si vous comptez vous en sortir en m'expliquant que vous n'utilisez que votre téléphone fixe pour appeler les amis, c'est raté car, à coup sûr, vous calez le téléphone entre l'oreille et l'épaule. Ce mouvement, comme tous les mouvements répétitifs asymétriques, est à proscrire.

– Malgré toutes ces recommandations, vous sentez poindre une douleur au cou. Penchez la tête en avant puis en arrière. Faites-le très lentement. Ensuite, tournez la tête à droite et à gauche.

Relâchez les épaules. Recommencez. Cela vous soulagera, j'en prends le pari.

Contre les jambes lourdes

– Les jambes lourdes trahissent une mauvaise circulation sanguine. Il faut donc s'en occuper dès le réveil où l'enjeu, c'est le retour veineux. Certains exercices permettent de le stimuler. Debout, le corps bien droit, vous pouvez monter un genou et l'amener sur le côté afin d'ouvrir votre bassin tout en restant en appui sur l'autre jambe. Répétez dix fois de chaque côté. Ensuite, vous pouvez vous hisser sur la pointe des pieds puis monter sur les talons. Là encore, dix fois. Ce rituel matinal réveille articulations et muscles tout en optimisant la circulation sanguine. En douceur.

– Jeans, bas, chaussettes, bottes... Qu'ils soient trop serrés et la circulation sanguine sera affectée. Pensez à desserrer l'étau de temps à autre en adoptant vêtements amples et chaussures confortables, en particulier si vous prenez le train ou l'avion, où l'on a tendance à nous parquer dans des fauteuils forcément trop étroits. Vous pouvez aussi innover avec des leggings de contention, une alternative confortable aux bas de contention. Leur matière spécifique agit sur le drainage. Fini les jambes qui gonflent façon Babar ou Céleste.

– Les jambes lourdes ont ceci de commun avec la gorge sèche qu'elles doivent vous inciter à boire. Une bonne hydratation, c'est un bon drainage des tissus. L'eau vous déprime ? Essayez les tisanes à base de plantes comme la vigne rouge ou le marron d'Inde : votre pharmacien herboriste vous confirmera leurs vertus décongestionnantes.

– Croiser les jambes en position assise, ce peut être élégant, mais c'est aussi un bon moyen d'alourdir les jambes, le sang ayant tendance à stagner au niveau des mollets. L'idéal est de garder les deux pieds au sol et de les positionner parallèlement. Et puis pensez à ajuster la hauteur de votre siège à votre morphologie, de manière à ce que votre bassin, vos genoux et vos chevilles forment un angle droit.

– Un bon jet d'eau froide qui part des pieds et remonte jusqu'en haut des cuisses redonne de la vigueur à vos jambes. Vous pouvez compléter la manip en massant vos jambes du bas vers le haut avec un gel que vous aurez préalablement mis au réfrigérateur.

– De temps à autre, consacrez quelques minutes à une séance d'étirements. En position assise, au bord d'un siège, allongez vos jambes devant vous. Tendez-les. Tout en poussant vos talons le plus loin possible et en veillant à ce qu'ils restent en contact avec le sol, ramenez les pointes de vos pieds vers vous. L'exercice doit durer une quarantaine de secondes.

Contre le syndrome du canal carpien

– Nous avons tous un nerf médian. Venu de l'avant-bras, il finit en delta dans le pouce, l'index, le majeur et l'annulaire. Il peut arriver qu'il soit comprimé au niveau du poignet, quand il passe dans le canal carpien : on ressent alors fourmillements, picotements et engourdissement. Parfois, les causes sont naturelles, hormonales ou métaboliques (grossesse, ménopause, diabète...). Mais le syndrome peut aussi apparaître après un traumatisme ou, le plus souvent, en raison de la répétitivité de certains gestes familiers aux bricoleurs, aux jardiniers ou aux travailleurs manuels. Ceux qui sont concernés doivent impérativement penser à changer régulièrement de position. Ils doivent également s'efforcer de tenir leurs outils à pleine main et non pas du bout des doigts : c'est indispensable pour soulager le poignet.

– L'ordinateur a changé notre vie. Il a aussi favorisé l'explosion du nombre de syndromes du canal carpien au point d'en faire l'une des maladies professionnelles les plus répandues dans les pays développés. Par conséquent, adoptez les bons gestes et équipez-vous en conséquence.

Côté matériel, utilisez une souris ergonomique pour éviter la cassure du poignet. Faites-la glisser sur un tapis disposant d'un repose-poignet rembourré, ce qui soulagera les points de tension au niveau du poignet. Investissez dans un clavier ergonomique : clavier en 2 parties ou clavier étroit. Avec le premier, chaque partie est placée en face de chacune de vos épaules. Avec le second, vous êtes débarrassés du pavé numérique, ce qui vous permet de placer la souris en face de votre épaule.

Côté gestes, évitez de replier votre poignet vers le haut : cette cassure est mortelle pour l'articulation. Ayez toujours l'avant-bras perpendiculaire au buste et veillez à ce que votre point d'appui sur la table soit plus proche du coude que du poignet.

Contre la fatigue visuelle

– Votre métier vous oblige peut-être à lire des tonnes de documents. Alors pour éviter d'avoir les yeux expressifs du mérou pris dans les feux de la lampe torche du plongeur, commencez par placer vos documents à 50 ou 60 centimètres de votre visage. En mettant de la distance entre vos yeux et ce qu'ils lisent, vous en mettrez entre vous et la fatigue oculaire...

– Qui se pique d'engloutir des pages et des pages d'une littérature qu'il n'a pas souvent choisie, boulot oblige, doit penser à faire quelques pauses. Vous avez le choix : prendre l'air pendant quelques minutes, faire travailler vote vision globale en prenant le temps de regarder ailleurs, au loin, entre deux pages ou encore poser une compresse humide sur vos yeux. Tout cela vous soulagera.

– L'ordinateur est souvent incontournable au travail. En revanche, à la maison, vous pouvez décider de débrancher. Ce conseil relève du bon sens élémentaire et je m'étonne qu'il soit encore si peu suivi...

Contre le mal de tête

– Si malgré tous les conseils qui précèdent, vous terminez votre journée avec la tête comme un tambour, j'ai un truc d'une simplicité enfantine à vous conseiller : avec vos index, massez-vous les tempes en effectuant des mouvements circulaires dans le sens des aiguilles d'une montre et de façon symétrique. La vascularisation de la zone concernée s'en trouvera améliorée. Cela suffit, souvent, pour mettre le mal de tête à l'index... Et c'est moins cher que le paracétamol.

– Le mal de tête trahit souvent des tensions au niveau des cervicales. En les étirant pendant quelques minutes, vous les soulagerez. Méthode : penchez la tête lentement vers la gauche en la laissant tomber doucement vers l'épaule ; faites de même côté droit. Ensuite, penchez votre tête en avant en essayant de toucher votre thorax et ramenez lentement la tête en arrière.

En répétant ces exercices une dizaine de fois, vous atténuerez, voire ferez disparaître, les tensions.

– Autre remède : l'eau. Buvez ! La déshydratation complique l'afflux d'oxygène et de sang dans le cerveau. D'où le mal à la tête. Dès maintenant, décidez de commencer votre journée de travail avec une bouteille d'eau pleine qui devra être vide au moment où vous quitterez le bureau. Si vous l'utilisez pour arroser les plantes, ça ne compte pas.

Vous le voyez, anticiper les Troubles Musculo-Squelettiques relève d'une guerre permanente et globale. Entre les yeux, le cou, les pieds, le coude, le poignet, la colonne vertébrale et j'en passe, les corrélations sont multiples. Que l'un vienne à défaillir et les autres seront touchés. Dès lors, la sagesse commande de s'en remettre à tout un ensemble de bonnes habitudes et de gestes simples étroitement liés entre eux, qu'il convient d'adopter le plus tôt possible afin d'éviter la plaie des « TMS des TMS », comprenez les Très Mauvaises Sensations des Troubles Musculo-Squelettiques...

Dodo au boulot

Dormir au boulot ? C'est sans doute un bon moyen de finir à la porte... Pourtant, de plus en plus d'entreprises tolèrent que leurs salariés s'offrent une petite sieste réparatrice. L'idée a germé il y a maintenant quelques années au Japon et elle fait des petits.

Entendons-nous bien : quand je parle de sieste au boulot, je ne parle pas du bon gros dodo de deux heures mais de ce moment de relaxation qui peut durer cinq à dix minutes. L'une des astuces qui vous empêcheront de finir dans les bras de Morphée avec engueulade du supérieur hiérarchique en prime consiste à vous reposer avec un trousseau de clés dans la main : s'il tombe par terre (et donc que le bruit vous réveille), c'est que vous étiez en train de vraiment vous endormir et qu'il est temps de vous remettre au boulot !

Mais toutes les entreprises n'étant pas préoccupées par le sommeil de leurs salariés et tous les métiers n'étant pas compatibles avec la petite sieste, il existe d'autres manières de combattre la fatigue quotidienne.

D'abord, comme sur l'autoroute, imposez-vous une pause toutes les deux heures : souvent, quelques minutes suffisent pour, le temps de marcher et de faire quelques étirements, rassembler ses énergies.

Ensuite, pensez, de temps à autre, à changer d'activité : si vous venez d'effectuer une tâche intellectuelle, passez à une tâche manuelle et vice versa. Il y a toujours un peu de rangement à effectuer autour de soi. Enfin, prenez le temps de rêvasser... Oui, rêvasser ! Oh, pas longtemps : cinq minutes, utiles pour se remémorer un moment agréable, récemment vécu ou à venir. Vous verrez, il n'en faut parfois pas plus pour être requinqué.

Tenez compte de ces suggestions. Combinées à l'impératif de la courte promenade que vous ne manquerez pas de faire à l'heure du déjeuner, elles vous aideront à réduire le stress et la fatigue qui n'aiment rien tant que se nourrir de votre passivité...

Étirez-vous contre le stress

Il est impalpable, insaisissable, invisible et pourtant il vous pourrit la vie.

Il prend un malin plaisir à se nicher dans vos muscles qui, du coup, se raidissent.

Il est à l'origine de nombre de douleurs.

De quoi s'agit-il ? Du stress, bien sûr ! C'est le mal moderne le mieux partagé...

Sans chambouler vos habitudes ni remettre en question votre mode de vie, il vous est possible de le combattre au quotidien. La solution ? Les étirements ! Ils s'imposent après le sport mais ils sont aussi recommandés, à petite dose, le matin ou le soir.

Il existe quatre régions sensibles sur lesquelles vous devez vous concentrer : la nuque, les épaules, le dos et les jambes.

La nuque a besoin de mobilité et de souplesse. Elle assure le lien entre la tête et le reste du corps. Qu'elle vienne à se raidir et c'est tout l'organisme qui s'en trouve affecté. Souvent, il suffit de s'en occuper pour s'éviter des maux de tête à répétition.

Les épaules : nous avons tous tendance à les rentrer et cela favorise les tensions. En vous étirant à ce niveau, vous facilitez l'ouverture de votre cage thoracique et vous respirez mieux.

Le dos... Un grand classique dont il est abondamment question dans ce livre... Des millions de Français disent en souffrir... Et pour cause : nous sommes généralement mal assis et avons tendance à nous avachir. Y penser, c'est déjà agir.

Enfin, les jambes : en les étirant, on relance la circulation sanguine, ce qui régénère leur dynamisme et les rend plus légères. Et quand on est moins lourd (au propre comme au figuré), on est mieux !

Le feng shui pour un meilleur sommeil

Vous arrive-t-il de mal dormir ? Oui ? Et si, pour retrouver une meilleure qualité de sommeil, vous vous intéressiez au feng shui ? Littéralement, cela signifie « le vent et l'eau ». C'est un art millénaire d'origine chinoise dont le but est simple : harmoniser l'énergie environnementale d'un lieu de manière à optimiser la santé et le bien-être de ses occupants.

Bien sûr, on n'est pas obligé d'y croire. Mais il n'est pas inutile de s'intéresser à ce qui semble être plus qu'une mode, histoire de sortir de nos habitudes occidentales. Et puis, un peu de curiosité ne nuit pas.

Prenez votre chambre... Pour l'aménager dans le respect des principes du feng shui, il faut tout d'abord veiller à ce que votre lit soit bien positionné. Cela suppose que la tête en soit placée contre le mur et qu'il y ait de l'espace de chaque côté. Jusque-là, nous sommes à peu près tous feng shui... Là où on innove, c'est que le lit ne doit pas être positionné dans l'axe de la porte : cela peut en effet générer des énergies dont la force détériorera la qualité de votre sommeil.

Une chambre feng shui, c'est aussi une chambre débarrassée de tout ce qui est susceptible d'émettre des ondes électromagnétiques : ordinateur, télévision, téléphones portables. Mais ce n'est pas tout ! Les plantes, parfois trop énergisantes, sont à proscrire ! Leur absence sera avantageusement compensée par la diffusion d'huiles essentielles apaisantes (verveine, fleur d'oranger).

Le feng shui, c'est également une ambiance qui passe par un éclairage tamisé. En conséquence, ne mégotez pas sur les abat-jour. Vous pouvez même aller jusqu'à l'installation d'un variateur. D'une manière générale, tout ce qui apaise est recommandé. Des conseils ? En voici ! Les murs ? Plutôt pastel. Le plafond ? Clair. Les meubles ? Pas trop près du lit car l'énergie a besoin de circuler. Les tableaux ? Sans couleurs vives. Le miroir ? Jamais en face du lit – petits coquins...) car il réfléchit l'énergie. Le lit, justement ? En bois, si possible. Les draps ? En coton, voire en lin.

Il n'est pas dans mon intention de vous faire déplacer ou même changer tout votre mobilier...

Simplement, sachez que le feng shui, apparu il y a une trentaine d'années en Occident, y compte de plus en plus d'adeptes, dont beaucoup retrouvent un sommeil de qualité.

Apnée du sommeil : réagissez !

Vous faites partie de ces 5 % d'adultes qui sont sujets à l'apnée du sommeil et endurent son cortège de plaisirs : vous vous réveillez fatigué, non sans avoir enquiquiné votre entourage avec des ronflements intempestifs, et ça ne s'arrange pas dans la journée où vous êtes parfois tenaillé par une méchante envie de somnoler... Il n'y a pas de hasard : quand on a passé la nuit à tenter de reprendre son souffle parce qu'on oubliait de respirer, ça laisse forcément des traces !

Que faire, dès lors, pour retrouver un sommeil réparateur ?

Soyons francs : si vous fumez, ça n'arrange pas franchement les choses. Et puis il y a l'alcool... L'idéal serait de le bannir, notamment le soir. Mais vous ne détestez pas votre petit verre... Sans doute vous dites-vous qu'il vous aide à vous détendre et que, grâce à lui, vous allez mieux dormir ? Faux ! L'alcool est effectivement un relaxant musculaire mais, en favorisant le relâchement de la gorge, il ne fait que compliquer le passage de l'air. Quant aux somnifères, s'il vous arrive d'en prendre, sachez qu'ils ont le même effet...

Cela étant dit, vous devez savoir qu'il existe des dispositifs dentaires destinés à élargir les voies aériennes durant la nuit. Ce sont des orthèses. À la différence de la prothèse (qui remplace un élément manquant), l'orthèse compense : moulée à la taille de votre bouche, elle avance la mâchoire inférieure et la langue. Je vous l'accorde, ça ne vous fera pas ressembler à George Clooney, mais ça peut être efficace.

D'autres traitements comme les radiofréquences (technique qui rétrécit les tissus), la ventilation spontanée en pression positive continue (qui vous oblige à porter un masque), voire la chirurgie, méritent aussi votre attention. Car il est essentiel que vous optiez pour un traitement qui soit adapté à vous et à vous seul. Dans ce but, il ne serait peut-être pas inutile que vous preniez contact avec un centre du sommeil, qui saura effectuer un diagnostic et vous orienter.

Matez le décalage horaire

Le jet-lag. Tout le monde connaît, a connu ou connaîtra.

Vous compris !

On y échappe difficilement, même s'il existe quelques dispositions à prendre pour en limiter les effets. Car rien n'est plus désagréable que de s'offrir des vacances lointaines et réparatrices pour en perdre le bénéfice à peine revenu au bercail...

Vous imaginez le dialogue :

– Oulà, t'as besoin de vacances, toi !

– Merci, j'en reviens...

La première question à se poser concerne la direction dans laquelle vous partez : est ou ouest ? Shanghai ou Los Angeles ? Bangkok ou Mexico ? Parce que ce n'est pas pareil... Avant un déplacement vers l'est, décalez peu à peu vos rythmes en vous couchant chaque jour un peu plus tôt. Faites l'inverse vers l'ouest : couchez-vous un peu plus tard. Allez-y progressivement, sur plusieurs jours.

Pendant le trajet, quelle que soit votre destination, évitez les somnifères, limitez votre consommation de caféine et, si possible, calez vos repas sur les horaires du pays d'arrivée. Par ailleurs, il est important, surtout si vous êtes du genre à avoir un gros appétit, de manger léger.

Enfin, une fois sur place, là encore, adaptez-vous... Si vous avez fait cap vers l'est, l'astuce consiste à profiter au maximum de la lumière du matin et à se protéger de celle du soir, et inversement si vous avez fait cap à l'ouest. En clair, soyez matinal à Pékin et noctambule à New York !

Sur ce, bon voyage ! Si vous partez...

La **mélatonine** peut être une solution contre le décalage horaire, mais attention : vous ne devez en prendre que si vous vous déplacez vers l'est, quand votre horloge biologique est à la traîne par rapport à l'heure locale. Cela vous évitera de sécréter trop tardivement. Bien sûr, ne l'achetez pas sur internet mais dans une pharmacie, après avoir consulté votre médecin.

Ventre plat et idées reçues

Combien de fois ai-je lu des papiers qui recommandaient de faire des abdos pour avoir le ventre plat ? Quelle bêtise ! Croire qu'on peut perdre sa bouée ventrale en travaillant sa sangle abdominale, c'est s'exposer à des désillusions, être victime d'une légende inventée pour vendre des bobards. Quand vous faites des abdos, vous travaillez le muscle abdominal. Parfait. Et il se trouve où, le muscle ? Sous le gras ! Eh oui, il fallait y penser. Donc, le muscle se renforce (ce qui est une bonne chose) mais le gras, lui, est toujours là. Et le seul moyen de le faire disparaître, le gras, c'est de le perdre ! Comment ? On en revient toujours aux mêmes règles : adapter son régime alimentaire et faire de l'exercice en endurance, ce que l'on appelle du cardio long, comme la course à pied, le vélo ou la natation. On estime qu'on commence à taper dans le gras à partir d'une quarantaine de minutes d'effort (jogging). On entre alors dans ce que l'on appelle la lipolyse, mot savant d'origine grecque qui désigne le processus de combustion de la masse grasse dans le corps.

Mais il semble que tout le monde n'ait pas la chance (ou le courage) de vivre ce phénomène... S'agissant de la masse grasse dans le corps, 2 hommes sur 6 sont trop ronds à 30 ans, et on passe à 2 sur 3 à la quarantaine. Les choses ont tendance à se dégrader avec l'âge car la masse musculaire fond au fil des ans, laissant place à du tissu adipeux, beaucoup moins gourmand en énergie (et nettement moins esthétique). Résultat : à activité égale, le corps consomme 5 % de calories en moins tous les 10 ans. Ajoutez à cela un style de vie moins nerveux, l'embourgeoisement qui vous fait aimer les bons petits plats et vous aboutissez à un relâchement des abdos que vient recouvrir une bonne couche de graisse.

Même s'il n'est jamais trop tard pour changer de mode de vie, je recommande de prendre de bonnes habitudes le plus tôt possible. Chez le jeune adulte, la graisse ne représente en moyenne que 15 % du poids du corps. Les muscles prédominent. Et ce sont de grands dévoreurs de calories. Les faire bosser avec régularité les aidera à retenir le message. Le corps a de la mémoire, il aime les habitudes. Alors il faut lui en donner ! Mais de bonnes ! Car il s'inscrira aussi volontiers dans un dynamisme de tous les instants qu'il se satisfera d'un confort pantouflard. Dès lors, à vous de choisir.

Faites du sport après avoir fait la fête

Lendemain de fête... Vous vous sentez en petite forme, un rien léthargique et la seule pensée d'avoir à faire un léger décrassage sportif vous donne envie de mourir... C'est sûr, quand on a dansé, bu, voire fumé, la veille, l'excuse est toute trouvée pour qui veut rester au lit.

Erreur.

D'ailleurs, que font les athlètes après une compétition dont ils ressortent forcément fourbus ? Ils sacrifient à l'inévitable jogging de récupération. Il en va de même pour vous : bougez, même si vous croulez de fatigue.

Bien sûr, je ne contesterai pas l'utilité d'une petite sieste. Je dis bien « petite ». Pas question de passer l'après-midi au lit ! Assoupissez-vous pendant quarante-cinq minutes, une heure tout au plus... Ensuite, buvez un grand verre d'eau, puis un autre, et trouvez la force de vous botter les fesses afin d'aller faire un peu d'exercice. La fatigue vous étreint ? Précisément : nagez, courez, pédalez ! Vous allez vous mettre en sudation, vous allez transpirer et ce n'est pas plus mal, car cette transpiration va favoriser l'élimination de tout ce qui vous met la tête et l'estomac à l'envers. L'idée, ici, n'est pas de taper un record mais bien de transpirer pour ôter du corps tous ces éléments qui sont aussi indésirables que les substances que l'on fabrique quand on fait un effort physique. Exit les toxines ! D'ailleurs, vous remarquerez que ceux qui sont habitués à faire du sport gèrent plus facilement que les autres les excès d'une grosse soirée pour la simple et bonne raison que leur corps est habitué à éliminer les déchets...

Après l'effort, le réconfort d'une douche, voire d'un bain, plus décontractant, suivi d'un repas léger, vous assurera une nuit riche en sommeil lent profond, celui-là même qui vous remettra d'aplomb pour que les conséquences de la fiesta ne soient plus qu'un mauvais souvenir.

Le vélo qui roule (presque) tout seul

En France, une quarantaine de villes proposent des vélos en libre-service. En quelques années, le Vélib s'est installé dans nos vies et tous ceux qui l'ont testé ont pu constater qu'il fallait un minimum de mollets pour avancer. Cette innovation eut le mérite de remettre le vélo au goût du jour et sans doute de favoriser la percée d'un engin qui peut vous accompagner au quotidien, qu'il s'agisse de faire vos courses, d'aller au travail ou tout simplement de renouer avec le plaisir simple de la balade sans trop se fouler : le vélo électrique.

Pourquoi ne pas essayer ?

Il s'en vend de plus en plus et ceux qui essayent ne peuvent plus s'en passer.

Ce type de vélo dispose d'une batterie. En général, elle se cache sous le cadre, sous le porte-bagages ou dans le pédalier. Il suffit de l'en ôter pour la recharger sur secteur.

Il existe deux types de vélos électriques : à capteur de mouvements ou à capteur de force.

Dans le premier cas, l'assistance est permanente : dès que vous effectuez un tour de pédales complet, elle se déclenche. Dans le second cas, l'assistance dépend de l'effort fourni. C'est donnant-donnant !

Qu'est-ce qui, dès lors, vous empêche de les tester pour en choisir un, celui avec lequel vous éprouvez les meilleures sensations ? Rien ! Dans tous les cas, c'est « effort mini, efficacité maxi ». Tout ce que vous risquez, c'est de tomber amoureux de ce joujou d'autant plus pratique et intéressant qu'il pourrait vous convertir à ces petites séances d'effort physique dont vous pourrez toujours adapter l'intensité.

Reste à vous parler du prix : il peut certes grimper jusqu'à plusieurs milliers d'euros mais le modèle de base coûte 400 euros... Si ça peut vous donner le goût de l'effort, ça mérite d'y réfléchir.

Et renseignez-vous, car certaines régions et certaines municipalités accordent des aides financières.

Prenez soin de votre cœur

Le cœur, je le rappelle, est un muscle. Et comme tout muscle, il se renforce avec l'activité physique. On peut donc le rééduquer, l'entraîner, l'entretenir. C'est pour cela que, tout au long de ces pages, j'insiste sur la nécessité de faire un minimum de sport ou, au minimum, de marcher quotidiennement. C'est d'autant plus important qu'en se musclant, le cœur développe son réseau sanguin nourricier et les artères coronaires, ce qui le rend beaucoup plus résistant.

Cependant, rares sont celles et ceux qui peuvent se targuer de mener une vie exemplaire. Même pas moi, tant j'ai tendance à marier le beurre et la charcuterie ! D'où la nécessité, le temps passant, de garder un œil sur cet organe essentiel.

Après 45 ans, ce qui compte, c'est la fréquence de vos bilans.

Cette fréquence des dépistages dépend du nombre de vos facteurs de risque.

Comptez les vôtres, de 0 à 10 :

– antécédents personnels d'accident vasculaire (infarctus, attaque cérébrale),

– antécédents familiaux d'accident cardiovasculaire (un parent au moins a fait un accident cardiaque précoce, c'est-à-dire avant 55 ans),

– tabagisme,

– consommation de plus de 2 verres d'alcool par jour,

– surpoids ou obésité,

– sédentarité,

– hypertension artérielle (valeurs normales < 14 pour la maxima et < 9 pour la minima),

– excès de cholestérol dans le sang (taux normal : LDL cholestérol [< 1,6 g/l] ou de triglycérides [< 1,5 g/l]),

– excès de sucre dans le sang (taux normal de glycémie : < 1,10 g/l).

Si vous n'avez aucun de ces facteurs de risque, un bilan tous les 10 ans sera suffisant : glycémie à jeun, recherche d'une anomalie lipidique (cholestérol, triglycérides), numération formule sanguine, vitamine D3.

Ce bilan devra être effectué tous les 3 ans si vous présentez un facteur de risque, et tous les ans à partir de 2 facteurs de risque ou si vous présentez un facteur de risque majeur (antécédent personnel d'accident vasculaire ou diabète).

Après 55 ans, il est important de faire un bilan cardiovasculaire tous les 3 ans : là encore, glycémie à jeun, recherche d'une anomalie lipidique (cholestérol, triglycérides), numération formule sanguine, vitamine D3.

Ce bilan sera effectué tous les ans si vous présentez deux facteurs de risque ou un antécédent personnel d'accident vasculaire ou de diabète.

Les facteurs de risque à prendre en compte sont identiques à ceux énoncés plus haut. Seule s'y ajoute la prise d'un contraceptif hormonal, quand on est une femme, cela va sans dire...

L'injustice du NEAT

Le NEAT, vous connaissez ? *A priori* non... Cet acronyme est un indice qui désigne (attention, c'est de l'anglais), le *Non Exercise Activity Thermogenesis*, comprenez l'énergie brûlée lors de l'activité physique involontaire. Cela comprend les gesticulations diverses, le maintien des postures, les contractions musculaires spontanées, bref, tous les mouvements que l'on fait dans la journée sans pour autant faire du sport au sens strict du terme.

Si je vous prends la tête d'entrée avec cet indice NEAT, c'est parce qu'il nous est précieux pour tenter de percer le secret de ces gros mangeurs qui ne grossissent jamais et rendent fous furieux ceux qui prennent 500 grammes rien qu'en passant devant la vitrine d'une boulangerie.

D'abord, je précise que ce phénomène des « gros mangeurs maigres » n'est pas spécifiquement masculin. Les femmes minces qui reprennent du gigot, ça existe aussi. L'expérience menée par des chercheurs américains a porté sur 16 volontaires non obèses (12 hommes et 4 femmes), âgés de 25 à 36 ans. Pendant huit semaines, on les a soumis à une « suralimentation » de 1 000 calories (rappel : la ration calorique quotidienne peut varier mais on considère qu'elle est normalement de 1 800-2 000 pour une femme et de 2 100-2 500 pour un homme). Nos cobayes ont par ailleurs suivi un même programme d'activité physique et une batterie de tests et d'examens permettant d'évaluer leurs dépenses énergétiques et la masse graisseuse engrangée. Résultat ? La graisse mise en réserve a varié de 1 à 10 selon les sujets ! Certains ont pris 360 grammes, d'autres 4,3 kg ! À se demander où étaient passés les kilos engloutis par les « gros mangeurs maigres » ! Les chercheurs se la sont d'ailleurs posée, la question... Et c'est ainsi qu'est apparu l'indice NEAT, qui permet de mesurer l'énergie brûlée lors de l'activité physique involontaire. Il réussit à certains plus qu'à d'autres : on a pu constater que le sujet ayant développé la plus grande activité NEAT brûlait, toutes les heures, l'énergie équivalant à une marche d'un quart d'heure à allure soutenue ! Tout ça en restant à la maison... Dernière précision : les femmes ont un NEAT plus faible que les hommes. Autrement dit, de façon involontaire, Madame brûle moins de calories que Monsieur.

Tout cela est injuste ?

Oui, mais la vie est injuste, comme dirait Ardisson !

Nous sommes tous inégaux devant le NEAT et il n'y a pas grand-chose à faire face à cet indice qui qualifie l'énergie spontanément brûlée pour simplement vivre. Pas grand-chose, sinon faire du sport et surveiller son alimentation de manière à ce que le corps se retrouve dans un processus normal de fonctionnement : plus d'énergie dépensée que de calories consommées. Parce qu'au fond, elle est là, la solution de bon sens. Les dépenses énergétiques ont beau être plus ou moins importantes suivant les individus, elles n'en demeurent pas moins standardisées. Et l'avantage de l'activité physique, c'est qu'elle nous met en situation de consommer de l'énergie en continu. En faisant du sport avec régularité et de manière soutenue, ne brûle-t-on pas aussi des calories la nuit ? On permet alors au corps d'accueillir encore plus de calories. Cette logique est exponentielle et fonctionne dans l'autre sens : moins on fait de sport, plus on fait de gras.

Quant à votre NEAT, s'il est proche du néant, une solution : bougez plus !

IMC : derrière ce sigle, se cache l'**Indice de Masse Corporelle**, imaginé par l'Organisation mondiale de la santé par un beau matin de 1997. Cet indice permet de vous alerter sur la nature de votre corpulence. Il se calcule en divisant votre masse (en kg) par le carré de votre taille (en m). Ceux qui sont fâchés avec les maths sont à deux doigts de refermer le livre. À tort !

Démonstration : je pèse 81 kg et mesure 1,85 m.

Calcul de mon IMC : 81/(1,85 × 1,85) = 23,6

Je peux en déduire que je suis de corpulence normale car mon IMC est compris entre 18,5 et 25.

Vous aussi, calculez votre IMC et reportez-vous au tableau ci-dessous :

– moins de 16,5 : dénutrition
– de 16,5 à 18,5 : maigreur
– de 18,5 à 25 : corpulence normale
– de 25 à 30 : surpoids
– de 30 à 35 : obésité modérée
– de 35 à 40 : obésité sévère
– plus de 40 : obésité morbide.

Vous connaissez votre résultat ? Vous savez ce qu'il vous reste à faire...

La nicotine, *modus operandi*

J'aborde maintenant une question qui pourrait se résumer à ceci : « Ne fumez pas » ! En trois mots, tout est dit. Si pour vous c'est le cas, vous pouvez passer votre chemin. Si en revanche vous continuez à cloper, cela veut dire que, par manque de volonté, par besoin ou par choix, vous n'avez toujours pas rompu avec une pratique dont on ne dira jamais assez qu'elle est épouvantable pour la santé. Le tabagisme actif est en effet la première cause de mortalité évitable en France. On peut lui imputer 90 % des cancers du poumon et 73 000 décès prématurés par an. Il tue un adulte sur dix sur la planète où il constitue la deuxième cause de mortalité. Infarctus, cancers en tous genres, accident vasculaire cérébral, pneumopathie, etc. : longue est la liste des dangers auxquels il expose les fumeurs, même si personne ne peut se vanter d'être à l'abri d'un accident de santé.

Vous cherchez une excuse ? En voilà une, toute trouvée : votre dépendance est due à la nicotine, une substance dont l'industrie du tabac a tout fait pour cacher la puissance addictive. La nicotine pénètre par la bouche, descend le long de la trachée, envahit les poumons par les bronches et pénètre jusqu'aux alvéoles où se font les échanges gazeux. En traversant la paroi des alvéoles, elle rejoint la circulation sanguine. De là, en route pour le cerveau qui dispose de récepteurs nicotiniques. La nicotine les active et s'y fixe. Cela crée un signal électrique et libère un messager chimique (un neurotransmetteur), la dopamine, qui va stimuler le centre de la récompense du cerveau. Résultat, à chaque bouffée de cigarette, la dopamine libérée vous fait ressentir une sensation de bien-être, de libération. Rapidement, le cerveau s'adapte : il multiplie le nombre de récepteurs. Quand le cerveau ne reçoit pas sa dose réglementaire de nicotine, vous êtes en manque : la dépendance s'est installée. Il vous faut en rallumer une. Vous voici piégés ! Et vous l'êtes d'autant plus que la nicotine est un brûleur de calories. Elle augmente le taux de sucre dans le sang (donc on est moins tenté d'en manger) et a un effet coupe-faim que louent celles et ceux qui sont attentifs à leur ligne. Ils croient alors que la cigarette peut remplacer sport et bonne alimentation !

Cette dépendance, purement physique, se double d'une dépendance psychologique ou psychique autrement plus puissante. Si vous en souffrez, vous avez besoin de fumer une cigarette pour réfléchir, pour vous relaxer ou tout simplement pour vous sentir bien. Cette dépendance psychologique, cependant, ne dure que quelques minutes. On peut tenter d'y résister… Essayez, l'éventail des possibilités est large : boire un verre d'eau, manger un fruit, sucer un bonbon sans sucre, respirer profondément, changer d'activité ou de pièce, passer un coup de fil... L'idée, c'est de faire diversion, de feinter le cerveau, d'occuper le laps de temps laissé vide par l'absence de cigarette. Plus facile à dire qu'à faire, je le reconnais... Voilà pourquoi on a inventé les substituts nicotiniques. Via un inhalateur ou sous forme de patchs, de gommes et de comprimés, ils vous fournissent votre dose de nicotine, éliminant ainsi les signes de manque. Outre leur efficacité, ils ont l'avantage de ne pas être toxiques pour le cœur et les poumons, tout en vous débarrassant de l'odeur du tabac qui imprègne avec insistance les intérieurs et les vêtements et en veillant à ce que vous ne deveniez pas subitement invivable pour votre entourage, deux des effets de la privation de nicotine étant l'irritabilité et l'agressivité. Donc si vous avez votre dose, fût-elle assurée par un substitut, cela fera des vacances à vos proches.

Le génie des industriels

Cela fait maintenant des décennies que l'industrie du tabac ment éhontément au monde entier, avec un aplomb qui confinerait à la simple effronterie si la vie des gens n'était en jeu. Nul n'a oublié ce jour mémorable de 1994 qui vit sept dirigeants d'entreprises fabriquant des cigarettes affirmer sous serment, devant une commission de la Chambre américaine des représentants, avec une solennité digne des plus grands d'Hollywood, que la nicotine n'était pas une substance addictive ! Si vous vous intéressez à la publicité, vous serez estomaqués, à la faveur d'une recherche rapide sur internet, de découvrir le contenu de certaines publicités qui déclencheraient un scandale immédiat si elles réapparaissaient aujourd'hui. Il y en a pour tous les goûts. Dans l'une, un homme dans la force de l'âge et qui semble faire autorité s'affiche en fumeur, avec un slogan qui ne souffre aucune objection : « *More Doctors smoke Camels than any other cigarette* » (Les médecins fument plus de Camel que n'importe quelle autre marque de cigarettes) ! Dans l'autre, on voit un homme cracher la fumée de sa cigarette au visage d'une femme : « *Blow up her face and she will follow you anywhere* » (Soufflez-lui à la figure, elle vous suivra n'importe où), dit le slogan qui présente ainsi la cigarette « Tipalet » comme un instrument infaillible de séduction. Ce genre de pantalonnade a permis d'ancrer dans nombre d'esprits que le tabac était sexy alors que la cigarette altère le tonus sexuel. Démonstration : l'érection est due à un afflux sanguin et nécessite une bonne irrigation. Mais le tabac rétrécit les vaisseaux... Donc l'irrigation se fait moins bien... En cause, la nicotine, le monoxyde de carbone, certains radicaux libres et d'autres, parmi les innombrables constituants de la cigarette.

La France n'a bien sûr pas échappé au rouleau compresseur de ce type de publicités mensongères. En témoigne cette troisième publicité qui met en scène un couple. L'homme est assis dans un fauteuil : il lit le journal tout en fumant sa pipe. Une femme (la sienne ?), à genoux, le regarde avec dans l'œil ce qui ressemble à de l'amour mâtiné d'admiration : « J'aime que tu fumes la pipe et j'adore l'odeur unique du Clan », lui dit-elle... J'apprends au passage que le Clan est un mélange pour la pipe mais, surtout, j'hallucine ! Au mépris des femmes s'ajoute le mensonge, sans qu'à l'époque ces publicités n'aient ému qui que ce soit.

Autres temps, apparemment profitables aux cigarettiers... Longtemps, l'inorganisation des consommateurs, la crédulité de leurs contemporains, la passivité des pouvoirs publics, la force persuasive des experts en réclame et sans doute aussi le silence des autorités médicales ont déroulé le tapis rouge devant les industriels du tabac qui, des décennies durant, ont empoisonné leurs semblables sans que personne ne bronche. Leur imagination s'est montrée sans limite. Une fois démasqués, ils ont su se renouveler en inventant, par exemple, les cigarettes « parfumées » à la menthe ou aux fruits... Génie ! Miracle du marketing ! Croyant sauver ainsi leur haleine de quelques reproches justifiés, ce sont principalement les femmes et les jeunes qui se sont laissé séduire, sans se douter que la fraîcheur ressentie à la première bouffée ne servait qu'à masquer le goût souvent désagréable et l'âpreté du tabac, sans se douter non plus que, de façon insidieuse, ces innovations facilitaient la mise en place de la dépendance, car le fumeur a alors tendance à ingérer plus profondément la fumée.

Autre vaste escroquerie, les cigarettes dites « light ». Mettez-vous une bonne fois pour toutes dans le crâne que dans « cigarette light », il y a cigarette et c'est cela qui importe et doit vous alerter ! On les dit légères, moins dangereuses ; c'est évidemment faux. La composition de la fumée des cigarettes dites légères est quasi identique à celle des cigarettes classiques. L'effet « light » repose essentiellement sur la présence de petits trous au niveau du filtre qui permettent de diluer la fumée. Comme elle pense à tout, l'industrie du tabac nous a bombardés avec des analyses réalisées par des « machines à fumer », qui « tirent » toujours sur la cigarette de la même manière. Sauf que quand un fumeur dépendant opte pour les cigarettes dites légères, il adapte sa manière de fumer afin d'absorber la quantité de nicotine dont son organisme a besoin : il fume plus ou inhale davantage.

Toutes ces manipulations, dont la liste n'est ici pas exhaustive et pourrait s'enrichir de l'évocation des cigarettes roulées réputées encore plus nocives que les cigarettes classiques, ont assuré la fortune des cigarettiers, leur permettant d'engloutir des sommes colossales dans la publicité et le marketing. Il est vrai que, consciente que ses produits tuent la moitié de ceux qui les consomment, l'industrie du tabac a toujours à cœur de renouveler sa clientèle...

Il n'est jamais trop tard pour arrêter

Certains fumeurs vont jusqu'à penser qu'ils ne sont pas capables de vivre sans tabac et que ce poison fait partie intégrante de leur vie d'adulte. C'est un tort doublé d'un mauvais calcul. Il n'est jamais trop tard pour se soustraire à une mauvaise habitude, et ce principe vaut pour le sevrage tabagique. Non, il n'est jamais trop tard. Jamais ! Combien de sexagénaires ai-je entendu dire que « ça ne vaut pas le coup », que « le mal est déjà fait », qu'il faut bien « mourir de quelque chose » ! Je voudrais leur faire admettre une vérité : en finir avec le tabac diminue le taux de mortalité et de morbidité, y compris chez les fumeurs ayant trente ans de cigarette au compteur. Sur les maladies cardiovasculaires, les bénéfices de l'arrêt sont immédiats. Oui, immédiats ! Et sur la qualité de vie, ils sont rapidement perceptibles. Vivre mieux et plus longtemps, le jeu n'en vaut-il pas la chandelle ?

Il convient, quand on a pris sa décision, de se faire aider. Vous avez une famille ? Des amis ? C'est le moment ou jamais de les mobiliser ! En les informant de votre pari, vous sollicitez leur aide. Ils sauront, instinctivement, prendre de vos nouvelles, vous faire part de leur respect, de leur admiration.

Ne sous-estimez jamais leur rôle et l'impact qu'il aura sur vous. Tout comme le cerveau du fumeur a besoin de sa récompense (fournie sous forme de nicotine), celui de l'abstinent apprécie d'être gratifié (sous forme de compliments, de mots qui réconfortent, encouragent). Donnez de la publicité à votre combat ! Informez votre médecin, consultez un tabacologue, appelez Tabac Info Service (39 89) ! Utilisez, s'il le faut, les réseaux sociaux, tel Facebook où les amis, même virtuels, s'expriment souvent avec une bienveillance bien réelle ! Vous y croiserez probablement des personnes qui sont passées par ce que vous vivez et sauront vous épauler, vous enrichir de leur expérience. Leur enthousiasme et le témoignage de leur forme retrouvée vous motiveront. On n'a jamais vu une personne regretter d'en avoir fini avec le tabac. Au contraire, toutes expriment unanimement leur fierté d'y être parvenu et confirment que ce pari gagné leur a donné prodigieusement confiance en elles et leur a permis de réaliser d'autres choses dont elles ne se croyaient pas capables auparavant. Le chemin est certes semé d'embûches, mais il mérite que vous vous y engagiez. Bien sûr, il pourra vous arriver de craquer. Ne paniquez pas pour autant. À quoi sert-il de tomber si ce n'est pas pour se relever ? Mais se relever plus fort. Le cheminement n'en sera que plus méritoire. Personne n'est à l'abri d'une rechute pour cause de stress aigu, de motivation en berne, de prise de poids ou de manque physique.

Cependant vous disposez, face à tout cela, d'un atout : votre capacité à bouger. Le sport, ça n'est pas un scoop (et vous le lirez à de nombreuses reprises tout au long de ces pages), est excellent pour la santé. Et c'est l'un des meilleurs alliés pour qui prétend en finir avec la cigarette. Déjà, quand on fait de l'exercice, on ne fume pas. C'est déjà ça de pris sur le besoin de tabac qui vous tenaille... Mais plus sérieusement, vous verrez qu'après une séance, surtout si vous retrouvez votre pleine capacité respiratoire, l'envie de cigarette s'éloigne. Le sport tonifie le corps et l'esprit. Il augmente la production d'endorphines et, de fait, agit contre le stress et la déprime. Et comme ce sont précisément le stress et la propension à déprimer qui, entre autres choses, vous conduisent à fumer, il œuvre à canaliser votre attirance pour le tabac. Arrêter du jour au lendemain vous paraît improbable ? Dites-vous que certains l'ont fait. Et s'il vous faut en passer par une période transitoire, commencez par réduire votre consommation. Il en va de la cigarette comme du verre d'alcool : en retardant l'heure du premier de la journée, on parvient à diminuer sa conso globale.

Vous avez sans doute entendu dire que seul l'arrêt total du tabac fait baisser le risque de manière vraiment significative. Cela n'est pas faux. Concernant le risque de cancer, la notion de durée d'exposition au tabac est beaucoup plus importante que celle du nombre de cigarettes fumées quotidiennement.

Même si vous ne fumez que cinq cigarettes, vous vous exposez au risque. Mais, encore une fois, réduire peut être une étape vers l'arrêt définitif et vous donnera, à coup sûr, l'occasion d'évaluer les bénéfices qu'une consommation restreinte peut avoir sur votre santé et votre image. Ainsi, à l'arrêt du tabac, le teint s'éclaircit et les rides sont moins marquées. Car le tabac agit de façon nocive pour la peau de deux manières. Tout d'abord par une action externe de la fumée : elle brouille le teint. Ensuite par une altération de la microcirculation qui conduit à une mauvaise oxygénation des cellules du derme. Responsable d'une accentuation du vieillissement cutané, la cigarette donne aussi à la peau un aspect gris. L'arrêter, c'est l'assurance de retrouver un teint frais. Mais pas seulement : vos facultés de concentration s'améliorent. Il me revient de battre en brèche cette idée reçue selon laquelle le tabac aide à la concentration. C'est tout le contraire : il affecte la mémoire ! Les cellules du cerveau du fumeur (comme celles de tout le corps d'ailleurs) sont moins bien oxygénées. À terme, cela entraîne inévitablement un déclin cognitif auquel vous pouvez échapper après un sevrage de quelques années.

La cigarette électronique

Depuis son arrivée sur le marché, la cigarette électronique fait l'objet de débats passionnés. Pour les uns, elle aide au sevrage tabagique. Pour les autres, c'est une tentatrice pour apprentis sorciers. Ma conviction est que la cigarette électronique est infiniment moins nocive que le tabac. Je n'irai pas jusqu'à conseiller aux non-fumeurs de se mettre au vapotage (car on ne connaît pas les effets à long terme de cette pratique), mais j'encourage ceux qui ne parviennent pas à arrêter de fumer à troquer la clope classique contre sa version électronique : ils se débarrasseront ainsi de l'intoxication aux goudrons et autres produits cancérogènes dont la présence dans le tabac fumé est avérée, ce qui n'est déjà pas si mal.

Certes, à échéances régulières, nous parviennent des études jurant mordicus que la cigarette électronique est nocive. Passé le titre tapageur, quand on les lit en détail, les études semblent un brin opaques et rien n'est prouvé. Qui finance ces études ? Il est souvent malaisé de le savoir. Et l'on imagine sans peine que les ennemis de la cigarette électronique orchestrent la contre-attaque... Le premier de ces ennemis, c'est le lobby du tabac, pour des raisons évidentes. Le deuxième, c'est forcément le lobby pharmaceutique : moins de fumeurs, cela veut dire moins de malades, moins de malades, cela veut dire moins de médicaments et moins de médicaments, cela veut dire moins de profits. Quant au troisième adversaire de la cigarette électronique, les mauvaises langues s'autorisent à dire que c'est... l'État ! Oui, l'État ! C'est assez osé, mais leur raisonnement mérite un peu d'attention. Sur chaque paquet de cigarette vendu, l'État ponctionne 80 % de taxes diverses. Ce qui constitue une manne de plusieurs milliards d'euros de recettes qui diminuerait spectaculairement si tous les fumeurs se mettaient demain au vapotage, les cigarettes électroniques étant beaucoup plus faiblement taxées. Comme quoi, fumer, c'est bon. Mais uniquement pour les finances publiques...

Contre le tabac, le sport

Rares sont les fumeurs qui ne souhaitent pas arrêter de fumer. Mais l'un des freins les plus répandus à l'arrêt du tabac reste la perspective de prendre quelques kilos dont on n'a évidemment pas besoin. Ce frein agit plus ou moins consciemment. On se dit prêt à faire un effort mais si c'est pour être payé en retour de quelques rondeurs, ça décourage. Et on rallume une clope...

Pourtant, pour toute personne qui souhaite en finir avec le poison de la cigarette, il existe un allié : le sport !

D'abord, on n'a jamais vu quelqu'un réaliser un passing-shot de revers la clope au bec. Ni même croisé un jogger qui cherchait un briquet au fond de la poche de son short entre deux foulées. Ça relève de l'évidence mais quand on fait du sport, on ne fait pas autre chose en même temps. Exit, donc, la cigarette, au moins pendant la durée de l'effort !

La pratique sportive agit aussi sur l'envie de fumer. Moult études en témoignent : une dizaine de minutes d'activité sportive modérée a un effet rapide et mesurable sur l'envie de fumer et les symptômes de manque tabagique lors du sevrage. N'importe quel fumeur habitué à se bouger un minimum vous le confirmera : après une séance, il est agréable de laisser respirer ses poumons.

Quant à la crainte de prendre des kilos, puisque tel était mon propos initial, elle peut se dissoudre dans le sport. Plus une personne fait de l'exercice, plus elle contrôle son poids. Évidence biblique. Mais il importe, pour les débutants dont les poumons sont enfumés, d'y aller progressivement. On peut se faire accompagner, on peut aussi commencer seul, dans son coin, en alternant course et marche. Cette phase est primordiale : elle permet de mettre au point sa PPG (préparation physique générale) qui constitue une base : un mois plus tard, elle autorisera celles et ceux qui le souhaitent à monter en puissance en attaquant le vélo, la natation, la gym en salle ou tout autre sport. Vos progrès seront une source d'étonnement chaque fois renouvelée. Le muscle va se substituer au gras. Vous allez retrouver une tonicité et un volume musculaire qui, non seulement vous redonnera une silhouette, mais encore imposera à votre métabolisme une consommation énergétique accrue, même au repos... L'entraînement aidant, vous serez pris dans un cercle vertueux et votre progression vous étonnera. L'explication est simple : qui dit arrêt du tabac dit meilleur rendement musculaire et meilleure ventilation... Votre sommeil gagnera lui aussi en qualité, entraînant une meilleure récupération, donc une meilleure forme, donc une envie décuplée de bouger, laquelle vous fera progresser. La boucle est bouclée... Ça vaut le coup d'essayer, non ?

Prévenez la constipation

Une sensation de ballonnement abdominal ? Des gaz ? Un appétit en berne ? Des selles dures et sèches ? J'en passe et des plus sexy... Moi-même, il a pu m'arriver de... Bon, passons... Désolé, mais c'est ainsi : personne ne peut se targuer d'être complètement à l'abri des symptômes de la constipation. En revanche nous avons tous la possibilité de la prévenir en adoptant quelques habitudes qui accéléreront la circulation du côté de votre gros intestin...

Premier réflexe à adopter : boire.

De l'eau ! Vous l'aviez compris... Celle du robinet convient parfaitement. Si vous la préférez en bouteille, choisissez-la riche en sulfates et en magnésium : ça aide...

Deuxième réflexe : manger des fibres.

Vous le savez sans doute, on en trouve plus sûrement dans les fruits et les légumes que dans la charcuterie et les viennoiseries...

Troisième réflexe : bouger.

L'activité physique participe de la lutte contre la constipation. Elle est excellente, et pas que pour votre gros intestin...

Quatrième et dernier réflexe : aller aux toilettes.

Eh oui ! Cela relève de l'évidence et pourtant... Il suffit parfois d'un emploi du temps surchargé pour passer son tour. Et c'est bien dommage car attendre, repousser l'échéance, peut faire disparaître l'envie. Du coup, les selles se déshydratent et leur évacuation se complique. Il faut donc apprendre à respecter ses besoins... pour mieux les faire !

Bien entendu, si les symptômes sont intenses et que le changement d'habitudes n'y fait rien, il faut songer à consulter un médecin. Parfois, la prise d'un médicament ou une intervention passée (le corps a de la mémoire...) sont tout bêtement à l'origine de la constipation.

La digestion ? Une rigolade

Il serait hasardeux de ma part de vous demander de rire sur commande ou sans raison. En revanche, je me dois de vous informer sur les bienfaits du rire. Ils sont multiples, et l'un des plus méconnus est le suivant : figurez-vous que le rire facilite la digestion !

En effet, qui rit contracte ses muscles abdominaux, brasse son tube digestif en profondeur et met son diaphragme en mouvement. Vous n'y pouvez rien, tout cela relève du réflexe. Conséquence : des organes comme l'estomac, le côlon, l'intestin grêle ou le duodénum s'en trouvent massés, ce qui optimise leur capacité à digérer votre repas. Ajoutez à cela que le rire entraîne une augmentation de la sécrétion de la salive et des sucs digestifs (indispensables à une bonne digestion) et vous serez convaincu que, quand vous rigolez, il se passe, dans votre organisme, tout un tas de choses dont vous ne soupçonnez pas l'existence mais qui font du bien !

Reste, dès lors, à trouver de quoi vous marrer. Et de quoi faire marrer vos amis au moment du dessert...

Vous connaissez celle du type qui se balade dans le quartier des prostituées à Amsterdam ? Il repère une fille dans une vitrine. Il tape à la vitre :

– Toc toc ! C'est combien ?

– 400 euros !
– C'est cher !
– Oui, mais c'est du double vitrage...
Ça vous faire rire ? Bonne digestion...

Ça ne vous fait pas rire ? Trouvez-en une autre. Mais une drôle, qui vous fasse rire. Et donc bien digérer...

Sans gluten et avec méfiance

On le trouve dans les pâtes, dans les gâteaux, les soupes, les sauces, le pain – auquel il donne son moelleux –, on en mange depuis toujours via le blé ou le seigle et voilà que subitement, il se dit que c'est du poison ! Haro sur le gluten ! Il infesterait notre alimentation et serait responsable de tous nos maux : migraines, dépressions, nausées, insomnies, arthrose, asthme, irritation de la peau, voire sclérose en plaque ou schizophrénie, j'en passe et des pires.

Depuis qu'il y a quelques années le cardiologue américain William Davis a commis un livre dans lequel il certifie que ses patients, lorsqu'ils débarrassent leur cuisine du gluten, pètent la forme, la mode gagne du terrain. Je lis ici et là qu'outre-Atlantique, un tiers de la population tenterait de bannir le gluten (j'avoue qu'il est difficile de vérifier ce chiffre, mais la tendance est indéniable), et j'observe qu'en France on s'emballe de la même manière.

Évolution justifiée ou simple hystérie ?

Je me méfie des modes. Elles masquent souvent de juteuses opérations commerciales. Mais je ne suis pas sourd non plus et j'entends ces témoignages de personnes qui affirment mordicus qu'en adoptant le mode de vie *gluten-free*, leur vie quotidienne s'est transformée.

Cependant, le médecin que je suis a tendance à s'en remettre aux démonstrations scientifiques. Or, à ce jour, aucune étude (je vous passe toutes celles qui ont pu être faites sur le sujet car elles se contredisent) n'a permis de conclure que le gluten était la cause de tous les maux précités.

De deux choses l'une : soit on est intolérant au gluten soit on ne l'est pas.

Dans le premier cas (1 % de la population française est concerné), ça porte un nom, la maladie cœliaque, et ça relève du domaine médical. Il faut alors consulter. Les symptômes sont identifiés et le traitement implique un régime sans gluten qu'il faut suivre *ad vitam aeternam*.

Dans le second cas, toute inclination vers le *gluten-free* relève, d'un point de vue strictement médical, d'une mode, de l'autosuggestion ou d'un choix culturel, ce qui, je vous rassure, est éminemment respectable. Et contraignant : il est alors plus difficile d'accepter une invitation à dîner, de faire ses courses ou d'aller au restaurant. Même si le commerce s'organise : on voit fleurir, un peu plus chaque jour, des épiceries, des sites internet, des restaurants et des espaces dédiés dans les supermarchés. Il va sans dire que les produits qui y sont proposés coûtent souvent plus cher que les produits classiques...

À propos de la naturopathie

J'appartiens à la confrérie des médecins. On y trouve de tout, y compris des nutritionnistes qui ont pris habitude de se prendre le chou (excellent aliment par ailleurs) avec certains naturopathes sur la question des associations alimentaires. Pour certains médecins, ce ne sont que foutaises car elles n'ont pas de fondement scientifique. Cependant, je ne saurais ignorer que la démarche des naturopathes intéresse de plus en plus de personnes persuadées qu'en appliquant certaines règles de combinaisons alimentaires, elles digèrent mieux. Ou ont l'impression de mieux digérer... Je respecte ce ressenti et confesse qu'il est difficile de se faire une opinion, la science ne pouvant tout expliquer. Dès lors, si la naturopathie attise votre curiosité, si vous y êtes sensibles, si vous adhérez à son discours, je me propose ici de m'en faire le relais, à titre purement informatif.

Disons que pour les naturopathes, il en va des combinaisons alimentaires comme des combinaisons vestimentaires. Mettez un pantalon rouge, un pull orange et une casquette rose et vous constaterez immédiatement les dégâts. Pourtant, pris séparément, chaque vêtement peut avoir son charme et son utilité. Mais, associés, ils vous transforment en perroquet (encore que le couturier Christian Lacroix ait en son temps été capable d'oser des associations de couleurs de ce type sous les vivats de la foule en délire, mais bon, tout le monde n'est pas Christian Lacroix...). En matière alimentaire, c'est pareil : il existerait des erreurs à ne pas commettre. Prenez la viande rouge. Elle contient du fer que le corps ne demande qu'à assimiler puisqu'il en a grandement besoin. Problème : si vous mariez votre bon vieux steak avec du thé ou du café, l'assimilation du fer sera freinée. En revanche, si vous lui adjoigniez du persil, vous avez tout bon car le persil est riche en vitamine C, laquelle facilite l'absorption du fer par l'organisme. La vitamine D, que l'on retrouve dans les poissons gras comme le saumon ou la sardine, fait, elle, excellent ménage avec le calcium (présent dans les produits laitiers ou les épinards) dont elle facilite l'absorption.

On pourrait ainsi, tout en ayant l'impression d'avoir un comportement alimentaire vertueux, souffrir sans vraiment comprendre pourquoi de troubles digestifs, de fatigue chronique, de ballonnements. Si cela vous arrive, les naturopathes vous diront qu'il y a une forte probabilité pour que la cause en soit l'inadéquation entre différents aliments ingérés au cours d'un même repas. La digestion, pour être réussie, aurait besoin de bonnes combinaisons alimentaires.

Au début du siècle dernier, un certain Herbert Shelton proposa des associations alimentaires censées maintenir en bonne santé. Nombreux sont ceux qui, aujourd'hui encore, en font la promotion alors qu'elles n'ont aucun fondement scientifique. Mais il semble qu'ils y trouvent leur compte. Dont acte...

Suivre les principes de Shelton consiste, au préalable, à classer les aliments en sept familles de tailles inégales, pas forcément complètes, mais ayant toutes leur utilité :

– Les protéines fortes : viandes, volailles, poissons, crustacés, œufs et fromages à pâte cuite comme le comté, le gouda, le gruyère, la mimolette ou l'emmental.

– Les protéines faibles : amandes, noisettes, champignons, algues, tofu, soja et légumes secs, dont les plus courants sont les pois cassés, les fèves, les lentilles et les haricots blancs ou rouges.

– Les protéines des fromages frais : yaourts, petits suisses, ricotta, mozzarella, fromage blanc, fromage de chèvre ou de brebis, mais frais !

– Les farineux forts : riz, pâtes, blé, orge, seigle, maïs, pain complet...

– Les amidons faibles : biscottes, boulgour, flocons de céréales, potiron, pommes de terre, châtaignes...

– Les fruits.

– Les légumes verts, crus ou cuits.

À partir de ce classement, Shelton suggère d'associer les aliments dont le mariage permet à la fois une bonne digestion et une bonne assimilation. Pour ce faire, il propose ses propres règles :

1. Pas de protéines fortes avec les farineux forts.
2. Pas de farineux forts avec les protéines fortes et les fruits.
3. Pas de fruits avec les protéines fortes, les protéines faibles, les farineux forts et les amidons faibles.
4. Les légumes verts et les protéines de fromages frais se marient avec tout le reste.

Tout cela, vous en conviendrez, est assez contraignant. Il y a peut-être plus simple à faire quand on souffre d'une digestion faiblarde.

1. Quand vous mangez des protéines animales, réduisez voire éliminez les féculents et remplacez-les par des légumes.
2. Quand vous mangez des féculents, accompagnez-les de protéines végétales ou alors d'une protéine animale mais légère et en plus petite quantité (œuf à la coque, tranche de jambon), les légumes étant toujours recommandés.
3. Mangez les fruits (notamment le melon et la pastèque) de préférence en dehors des repas si vous sentez que ça ballonne et que vous vous sentez mieux ainsi.

Si, en tenant compte de ces principes, vous vous estimez en meilleure forme, grand bien vous fasse...

De nombreux naturopathes estiment, expérience à l'appui, que leur respect permet de régler une majorité de problèmes digestifs. Mais il ne faut pas perdre de vue que bien des choses dépendent aussi du mode de vie, de l'exposition au stress, de mille et un paramètres qui font que chacun d'entre nous est unique. Et gardez présent à l'esprit que, quel que soit votre objectif (ne pas grossir, rester en bonne santé, éviter les digestions difficiles...), l'important est avant tout de manger des quantités raisonnables en prenant le temps de le faire (la mastication, encore et toujours...). Cette approche vous simplifiera la vie au moins autant que toutes les combinaisons alimentaires du monde.

Osez la douche froide !

Nous passons, grosso modo, un tiers de notre existence à dormir. C'est indispensable à notre bien-être. Mais dormir n'est pas tout ! Encore faut-il bien dormir... Il est indispensable que le sommeil soit réparateur si l'on veut éviter fatigue, baisse de vigilance, moral en berne et humeur à géométrie variable...

L'un des conseils antistress les plus originaux qui existe consiste à prendre une douche froide en début de soirée, avant d'aller dîner. Vous pensez que l'eau froide va au contraire vous réveiller ? Erreur ! Le corps a en effet besoin que sa température diminue un peu pour être dans les meilleures dispositions au moment de se glisser sous la couette.

Si vous osez la douche froide, optez pour une eau à 15 degrés. Il sera toujours temps, avec l'habitude, de descendre à 10 degrés lorsque vous aurez éprouvé les bienfaits de cette méthode. Allez-y progressivement : tenez le jet à une quinzaine de centimètres de vos pieds avant de remonter progressivement, car il faut toujours commencer par le bas. Détente garantie : cette fraîcheur libérera des endorphines (hormones du bien-être) et chassera l'anxiété et le stress qui parasitent le sommeil. Et puis l'avantage, avec la douche froide, c'est que vous allez apprendre à vous doucher rapidement : en moins de 2 minutes, les choses seront pliées...

Je m'aime un peu, beaucoup, pas du tout

Vous avez sans doute remarqué que le concept de « l'estime de Soi » est un peu partout, à la Une des journaux (notamment féminins) comme dans les conversations. Il vous renvoie au jugement global que vous avez de vous-même, qu'il soit positif ou négatif...

En général, à l'âge adulte, les bases de cette estime sont en place. Même si les aléas de la vie, qu'ils soient professionnels, familiaux ou sentimentaux, peuvent faire évoluer cette perception. Mais beaucoup de choses se jouent durant l'enfance. D'où la responsabilité des parents...

Le discours que vous portez sur les capacités de votre enfant peut l'encourager ou au contraire le décourager. Il est indispensable que vous connaissiez bien ses forces et ses faiblesses et que vous l'aidiez à en prendre conscience. Et s'il est important de lui donner de l'ambition, il faut veiller à ne pas le mettre sous pression avec des objectifs irréalisables. Pas si simple... Car si vous mettez le curseur au mauvais endroit, trop haut ou trop bas, il y aura des conséquences.

Une mauvaise estime de soi entraîne inévitablement du mal-être et complique les relations avec autrui. Frustration permanente, culpabilisation à outrance, dévalorisation systématique, impulsivité et timidité sont autant de troubles du comportement qui mettent en péril le bonheur de celles et de ceux dont l'estime de soi est résiduelle, hypothéquant ainsi leur épanouissement, qu'il soit personnel ou professionnel. Les ennuis voyageant souvent en escadrille, il n'est pas rare que cela débouche sur une dépression, des comportements addictifs (drogue, alcool), voire un rapport compliqué à l'équilibre alimentaire (boulimie, anorexie).

À l'inverse, une trop bonne estime de soi débouche sur des comportements hautains (ou perçus comme tels par autrui) potentiellement dangereux, la personne concernée pouvant se croire à l'abri du risque.

D'où la nécessité de tourner sept fois sa langue dans sa bouche avant de s'adresser à son enfant... Et bien sûr, tout est fonction de votre méthode d'éducation. Qu'elle soit permissive, autoritaire ou libérale, elle influera fatalement sur le jugement que l'enfant portera sur lui, même si, quand il volera de ses propres ailes, le regard qu'il porte sur sa propre personne gagnera en autonomie et sera moins influencé par le jugement des autres.

L'enfant est une promesse. Et vous devez faire en sorte qu'elle soit tenue grâce à la mise en place de quelques principes qui lui assureront ce qu'on appelle « une bonne estime de soi », c'est-à-dire « suffisante », ni trop haute, ni trop basse.

Veillez, par exemple, à ce qu'il comprenne que le non-respect des règles éducatives qui sont les vôtres et que vous aurez préalablement clairement énoncées ne peut qu'avoir des conséquences dont vous ferez en sorte qu'elles ne soient pas disproportionnées. Efforcez-vous, quand cela est possible, de toujours laisser à votre enfant la possibilité de faire son propre choix. Il ne sert à rien, même si vous rêvez d'en faire un gardien de but, de l'inscrire au club de foot du coin s'il préfère le tennis. Ni de l'obliger à pianoter s'il ne pense qu'à dessiner. Le contraindre, c'est attenter à son assurance donc à son autonomie future. Lui donner le choix, c'est lui donner confiance. Par ailleurs, il importe qu'il ne soit pas bridé dans l'expression de ses émotions ou de ses opinions et, quoi qu'il choisisse de faire, que vous l'encouragiez et l'épauliez pour qu'il atteigne le but qu'il s'est fixé, et ce en usant de tous les moyens intellectuels ou matériels que vous pourrez raisonnablement mettre à sa disposition. C'est en essayant qu'il se frottera à la réalité, avec échec ou succès à la clé, mais avec le sentiment d'en avoir beaucoup appris sur ce dont il est capable ou incapable. Ainsi se connaîtra-t-il mieux. Ainsi s'acceptera-t-il mieux. Ainsi gagnera-t-il en confiance, une confiance essentielle qui l'incitera à aller vers autrui, à trouver sa place, sa juste place, dans un groupe ou une collectivité.

Sus à la culpabilité !

Vous arrive-t-il de vous en vouloir ? De regretter de ne pas avoir été à la hauteur ? D'être convaincu que vous avez mal agi ?

Oui ? Alors vous êtes mûr pour trois conseils qui vous permettront d'échapper au piège de la culpabilité. Elle peut faire des ravages, mieux vaut donc mettre de la distance entre vous et elle...

1. Personne n'est parfait ! Même pas vous. Même pas moi (quoique...). Il faut vous en convaincre une bonne fois pour toutes ! Cela ne fait pas de vous une personne à fuir, bien au contraire. Mais l'accepter, s'en convaincre, c'est faire un grand pas vers plus de bien-être. Reconnaître ses failles et ses faiblesses, ça repose...

2. Le monde n'est ni noir ni blanc ; il est gris. Cette saillie chromatique n'a d'autre but que de vous convaincre que nous avons tous une part d'ombre.

Elle fait de nous des êtres tout en nuances, donc dignes d'intérêt.

3. Enfant, nous avions une vision un peu binaire de la vie. On nous disait « C'est bien » ou « C'est mal » ! Et on l'a cru ! Mais les choses ne sont-elles pas un peu plus compliquées ? La quête d'idéal est perdue d'avance. Aussi, soyez à l'écoute de vos désirs, de vos envies, quitte à jongler un peu avec la morale, à condition de ne pas nuire à autrui. En un mot, assumez !

En fait, la seule bonne raison qui justifierait que vous culpabilisiez serait de ne pas avoir lu ce texte jusqu'au bout. Mais apparemment, ce n'est pas le cas... C'est bien, ça commence à venir, continuez !

L'empathie, c'est important

Le bien-être, c'est aussi une affaire de rapport avec l'autre. La qualité du relationnel, la clarté de la communication entre deux personnes sont essentielles pour que l'expression « Vivre ensemble » ait un sens. En 68, on criait « Faites l'amour, pas la guerre » ! Aujourd'hui, on parle d'empathie. Et c'est plus qu'une mode : une recette. Au passage, ça ne vous dispense pas de faire l'amour, mais c'est un autre débat !

Mais revenons à l'empathie... Avoir de l'empathie, c'est être capable de comprendre les émotions éprouvées par l'autre tout en s'abstenant de quelque jugement que ce soit. L'écoute prime. Et l'échange ne doit en rien être pollué par votre propre vision des choses.

Donc soyez empathique ! Cela vous fera d'ailleurs autant de bien qu'à la personne qui en profite car cela vous obligera à vous ouvrir davantage aux autres, à développer votre intuition et à tolérer que l'on puisse se comporter ou penser différemment de vous. Cependant, si vous vous savez hypersensible, ne tombez pas dans l'excès d'empathie qui vous ferait perdre votre recul et finirait par vous faire ressentir ce que l'autre ressent, ce qui n'est pas franchement le but de la manœuvre... L'empathie, c'est comme la circulation routière : il faut conserver une distance de sécurité.

Ne pas confondre **empathie, sympathie et compassion**. Si l'empathie est une notion subtile qui vous conduit à faire comprendre à l'autre que vous comprenez son trouble, elle diffère de la sympathie qui consiste à partager les mêmes sentiments que son vis-à-vis (« Je suis bien d'accord avec toi ») ou de la compassion qui nous conduit à partager la souffrance de l'autre (« Tu pleures ? Je pleure aussi ! »).

Après tout, si l'on utilise des mots différents, c'est peut-être parce que leur signification est différente...

Conseils anti-pollen

Dans la grande famille des allergiques au pollen, il y a ceux qui savent et ceux qui ne savent pas. Et oui : aussi étrange que cela puisse paraître, certaines personnes ne sont pas au courant qu'elles sont allergiques au pollen ! D'où l'intérêt de prêter attention aux symptômes.

Écoulement nasal ? Nez bouché ? Ça sent la rhinite. Vous laissez échapper quelques larmes ? Ça vous démange ? Il se pourrait que vous ayez une conjonctivite. Vous vous sentez oppressé au niveau du thorax ? Vous faites un bruit de locomotive quand vous respirez ? Ça ressemble à de l'asthme. Atchoum ? Rhume des foins...

Si tout cela vous est familier, c'est que vous êtes allergique au pollen... En général, ça commence au mois de mars, avec l'avènement du printemps, et ça dure jusqu'au mois de septembre. Il n'est donc pas inutile de rappeler ce que sont les bons réflexes à adopter pour se prémunir contre ces désagréments qui pourrissent la vie. Voici 5 conseils qui se marieront parfaitement avec l'éventuel traitement médical que votre médecin ne manquera pas de vous prescrire s'il le juge utile.

1. Lavez-vous les mains, le nez, le visage et les yeux, abondamment et régulièrement.

2. Faites le ménage à fond chez vous, dépoussiérez plus que de coutume !

3. En voiture, roulez les fenêtres fermées : dehors les pollens !

4. N'hésitez pas à vous protéger en portant des lunettes de soleil, voire un masque de protection. Je connais plus glamour comme accessoire mais au moins, c'est efficace !

5. Si, dans la journée, vous passez du temps dans un jardin ou un parc, lavez-vous les cheveux le soir, avant de vous coucher. Les pollens, je les préfère comme vous dans la tuyauterie plutôt que sur l'oreiller !

Entretenez votre mémoire sans effort

Vous est-il arrivé d'avoir un trou de mémoire ? D'oublier le nom d'une personne, l'endroit où vous aviez posé vos clés, le bon chemin pour aller au bon endroit ? Sans doute... Car au quotidien, la mémoire se plaît à nous jouer des tours. Qu'elle soit tactile, olfactive, auditive ou visuelle, elle se permet des absences qui, sans devoir nous inquiéter outre mesure et nous conduire à invoquer Alzheimer à tout bout de champ, nous rappellent qu'il faut l'entretenir. La mémoire, c'est comme la démocratie ou la liberté de la presse : si on ne s'en sert pas, elle s'use. Se fane. Se perd. Et c'est d'autant plus dommage qu'elle nous est offerte par la Nature, très tôt, sans doute bien avant notre naissance effective puisque nombre de scientifiques s'accordent sur la capacité du fœtus à mémoriser les odeurs, le toucher, le goût ou le son de la voix maternelle.

Le siège de la mémoire, c'est l'hippocampe, une structure située dans le lobe temporal médian, au-dessus du cinquième repli du cortex temporal. Je vous saoule ? Je sais... Moi-même, il m'arrive de me saouler ! Alors faisons simple : disons que le siège de la mémoire, c'est le cerveau... Et savez-vous que le cerveau est composé à 80 % d'eau ? Votre mémoire est donc directement affectée en cas de manque d'eau ! La déshydratation entraîne des problèmes de concentration, laquelle est utile au bon fonctionnement de la mémoire. Déduisez vous-même : boire de l'eau régulièrement, sans attendre d'avoir soif, mais également consommer des aliments riches en eau comme les fruits et les légumes, est bon pour la préservation de votre mémoire. En outre, le cerveau est un grand consommateur d'oxygène : à lui seul, il capte 20 % de l'oxygène que nous absorbons. Pour favoriser son oxygénation, il existe un truc imparable : faire du sport ! On en revient toujours aux mêmes évidences mais je crois aux vertus pédagogiques du rabâchage. D'ailleurs, vous noterez que la répétition est la meilleure amie de votre mémoire. En plus, après une séance de sport, l'organisme libère des endorphines, des hormones qui favorisent la concentration, cette alliée de la mémoire.

Les facilités de la vie moderne concourent à nous faire perdre des réflexes pourtant utiles à l'entretien de notre mémoire. À l'écriture manuelle, on préfère le tapotage d'un clavier d'ordinateur. Au bon vieux bloc-notes, on substitue l'écran. Pourtant, écrire à la main stimule les zones du cerveau relatives à la réflexion, au langage et à la mémoire. Aussi, ne remisez pas complètement ces objets de plus en plus obsolètes que sont le stylo et le papier. Ne cédez pas trop non plus à la magie du portable. On l'utilise pour mitrailler à tout va sans savoir que cela altère la capacité à bien se souvenir des choses. Certains chercheurs ont en effet mis en évidence ce qu'on appelle « l'effet de dépréciation », phénomène induit lorsqu'on se sert d'un appareil photo comme d'une béquille. La technologie peut certes être utile pour se souvenir de quelque chose ou de quelqu'un. Mais elle ne doit pas, même si vous y recourez, vous dispenser de prendre le temps d'observer. C'est une manière comme une autre, au quotidien, de mettre de l'huile dans les rouages de la mémoire.

Et puisqu'il est question d'huile (je sais, la transition est un peu kamikaze mais je l'assume), j'en profite pour vous recommander l'huile d'olive. Non pas qu'elle agisse directement sur votre mémoire mais, simplement, sa consommation s'impose dans le cadre du régime méditerranéen réputé pour protéger le cerveau du vieillissement. Principes simples : consommez des fruits secs, préférez les poissons à la viande, pour leur richesse en acides gras polyinsaturés et leurs protéines de meilleure qualité (saumon, thon, maquereau, hareng, sardine), délaissez le lait de vache au profit du lait de brebis ou de chèvre, privilégiez fruits et légumes reconnus pour leur richesse en minéraux, en fibres et en antioxydants. Ces derniers combattent avec efficacité les attaques des radicaux libres qui adorent s'en prendre aux neurones sans défense. Ces antioxydants, on les trouve dans les aliments riches en vitamine C (fruits rouges, agrumes, choux de Bruxelles, brocolis...) et vitamine E (pommes de terre, graines de potiron et de tournesol...), sans oublier l'ail, l'amande, l'aubergine, la betterave, les brocolis, la carotte, le champignon, le citron, l'épinard, le kiwi, la pomme... On pourrait compléter cette liste de courses en faisant le plein de magnésium grâce aux légumes verts et à feuilles, au chocolat noir... Le magnésium a ceci de particulier qu'il permet d'augmenter la quantité des synapses, les terminaisons nerveuses du cerveau qui transmettent les informations, ce qui ne peut qu'influer positivement sur les capacités cognitives.

Vous le voyez, entretenir sa mémoire est aussi une question de mode de vie. Tout repose sur l'accumulation de petits choix comportementaux qui, au jour le jour, œuvrent en faveur de la préservation de nos souvenirs proches ou lointains. Ainsi, ne culpabilisez pas de céder au plaisir d'une petite sieste. Là encore, c'est bénéfique pour la mémoire. La sieste (courte, à la mi-journée) permet en effet d'améliorer l'apprentissage des informations englouties dans la matinée. Une étude scientifique a montré que l'activité cérébrale est plus importante chez une personne ayant fait la sieste que chez une personne qui ne l'a pas fait. Ne culpabilisez pas non plus d'avoir envie d'aller vous balader à l'heure de la pause. La lumière artificielle, même dans le plus agréable des bureaux, c'est bien gentil, mais votre organisme a surtout besoin de la lumière naturelle. Pensez à vous exposer au grand jour ! Ce faisant, vous œuvrez à synchroniser votre sommeil, à l'améliorer la nuit venue. De cela, votre mémoire sort renforcée, car c'est pendant le sommeil profond (et plus il est profond, mieux c'est) que votre cerveau trie les apprentissages du jour.

Je pourrais, à toutes ces pratiques vertueuses, rajouter la consommation modérée de café (la caféine stimule la mémoire à long terme et améliore la mémoire visuelle), la propension à rire (quand on rit, le cerveau libère des endorphines, des hormones qui favorisent la concentration), la lecture. En effet, lire améliore vos performances cognitives car on imagine, on comprend, on mémorise, bref on fait travailler son cerveau.

L'apprentissage d'une ou de plusieurs **langues étrangères** est excellent pour la mémoire. Des IRM menées au cours d'une étude sur le sujet ont permis de conclure que les personnes parlant au moins deux langues étrangères utilisent leur cerveau de manière plus efficace et sont aussi moins exposées aux troubles de la mémoire que les spécialistes du franco-français. À vrai dire, on s'en serait douté : plus on parle de langues, plus on stimule sa mémoire. Capito ? Understood ? Verstanden ? Comprendido ?

Mémoire à court terme et mémoire à long terme

La mémoire humaine est capable de conserver des milliards d'informations dans le cerveau. Mais elle se conjugue au pluriel. Il n'y a pas une, mais des mémoires : on différencie la mémoire dite « à court terme » de celle dite « à long terme ».

La première a une capacité de stockage réduite, voire ultra-réduite. Elle peut être d'une durée de vie de l'ordre d'une demie à dix secondes ! Elle n'en est pas moins utile et pratique, car elle fait prioritairement appel à nos sens pour filtrer les éléments à retenir dans le flot continu d'informations que captent nos yeux, nos oreilles, nos doigts ou notre nez. Mais ce que l'on désigne communément par « mémoire à court terme » dure environ 30 secondes. Ce court laps de temps permet de retenir une information pour, par exemple, composer un numéro de téléphone qui vient de nous être donné ou se jeter sur un stylo pour le noter. Il est possible, pour chacun d'entre nous, de rallonger cette durée de mémorisation en répétant en boucle l'information à retenir, intérieurement ou à haute voix. Cette mémoire-là est précieuse : elle joue un rôle central dans l'accomplissement de nos tâches quotidiennes.

Dans le registre de la « mémoire à court terme », les psychologues ont mis en évidence ce qu'ils appellent « le chiffre magique 7 » : nous serions capables de retenir de manière brève, visuellement ou auditivement, sept unités d'informations différentes. Mais tout le monde n'est pas abonné au même tarif ! Certains sont limités à cinq, d'autres poussent jusqu'à neuf. Tout dépend de la capacité de concentration de chacun. Quoi qu'il en soit, ces suites survivent une vingtaine de secondes en moyenne dans notre cerveau. Au-delà, 90 % des informations sont oubliées. Tout comme sont instantanément oubliés des wagons d'infos inutiles, épargnant la saturation à notre cerveau.

Le passage de la mémoire « à court terme » à la mémoire « à long terme » se fait par la grâce de la répétitivité et la force de l'émotion. Il permet de se construire des souvenirs, phénomène qui a été mis en lumière par la règle de Hebb, du nom du neuropsychologue canadien Donald Hebb (1904-1985). Quand un neurone envoie régulièrement un message vers un autre neurone, le second devient de plus en plus sensible au message. Se crée un lien qui les unit et se renforce si la connexion est répétée. Le souvenir augmente alors ses chances de s'inscrire dans la durée. C'est comme cela que l'on retient ses tables de multiplication ou ses récitations ! Mais l'émotion peut produire le même effet. Quand le premier neurone est activé par une image qui sort de l'ordinaire, qu'elle corresponde à un moment de joie (une naissance, par exemple) ou soit associée à une scène de violence, la charge émotionnelle solidifie instantanément le souvenir. Ne dit-on pas : « Ce fut un moment inoubliable » ? Au sens propre : que l'on n'oublie pas. Ce moment va s'inscrire durablement dans la mémoire, dont la capacité de stockage est indéfinie, théoriquement illimitée, celle dite « à long terme ».

Cette mémoire-là a une fonction de stockage et construit notre personnalité. Nous lui devons les souvenirs de nos premières vacances à la mer, la persistance du goût de notre premier baiser, le fait de pouvoir réciter *Le Cancre* de Prévert ou de nous rappeler les règles du poker... C'est elle qui permet à Proust d'évoquer le parfum des petites madeleines trempées dans le tilleul de son enfance, en prince de la mémoire olfactive, la plus forte des mémoires reliées à nos cinq sens, plus évocatrice encore que les mémoires auditive, visuelle, tactile ou gustative, grâce à des neurones spécifiques répartis dans la fosse nasale, capables de reconnaître quelque 10 000 odeurs différentes. Cette mémoire « à long terme » se compose de plusieurs processus : la mémoire non-déclarative, qui gère de manière inconsciente tous nos apprentissages (la marche notamment) et celle déclarative, consciente, qui gère toutes les connaissances acquises et dont nous nous servons au moment opportun. Cependant, nous ne sommes pas tous égaux face aux mécanismes de mémorisation. Les souvenirs, par exemple, s'impriment mieux avant 30 ans, âge auquel les capacités de concentration culminent. Après, les choses se dégradent. Là où un collégien peut apprendre son cours en écoutant de la musique, un quadragénaire aura besoin de silence. Vers la cinquantaine, s'enclenche le vieillissement de la mémoire qui s'accélère après 75 ans. L'âge, cependant, n'est pas le seul facteur à prendre en compte. Le sexe (homme ou femme, pas la pratique...) peut également avoir son mot à dire... Démonstration : les femmes sont souvent carencées en fer. Or, le fer est indispensable au transport de l'oxygène vers le cerveau. Une carence en fer affecte donc directement les capacités de mémorisation et de concentration. D'où l'intérêt, Mesdames, de ne pas snober, fût-ce à petite dose, le boudin noir, la viande rouge, les abats, les lentilles, les épinards, les céréales complètes qui, tous, regorgent de fer... La génétique, l'éducation et le métier conditionnent aussi les capacités de la mémoire. Ceux qui, tout au long de leur vie, auront fait travailler leur mémoire grâce à des activités intellectuelles et se seront ainsi constitué des « réserves » auront plus de chance de retarder l'apparition de troubles. Une étude suédoise a montré que dans un cerveau stimulé, même âgé, les neurones se renouvellent beaucoup plus qu'on ne le pensait, au rythme de 2 % par an.

Fascinante mémoire ! Les Grecs ne s'y trompèrent pas, eux qui lui dédièrent une déesse : Mnémosyne (vous vous demandez si le mot « mnémotechnique » vient de là ? La réponse est oui !). Née de Gaïa (la Terre) et d'Ouranos (le Ciel), Mnémosyne avait un don particulier : elle inventait des mots et racontait des histoires. Pour charmer Zeus, le Dieu des dieux, elle le flatta en lui narrant les victoires de ces derniers contre leurs ennemis, les Titans. Zeus succomba et, au sommet de l'Olympe, Mnémosyne donna naissance à neuf filles : les Muses. Quelques Anciens l'ont peinte sous les traits d'une femme d'âge presque mûr, soutenant son menton et se tenant le lobe de l'oreille avec les deux premiers doigts de la main droite, suggérant la réflexion. Une exception puisqu'il était d'usage, à l'époque antique, de représenter les dieux sous les traits d'adolescents. Peut-être une manière de souligner son importance, bien avant l'invention de l'alphabet et de l'écrit... À moins qu'il n'ait été question de saisir l'instant précis ou les deux mémoires, celle « à court terme » et celle « à long terme », sont en interaction, l'instant précis où le cerveau reçoit une information, la traite, lui donne une signification et décide de la conserver. Ou pas.

On se désole en permanence de perdre la mémoire mais peut-on avoir, à l'inverse, un excès de mémoire ? Réponse claire, nette et précise : oui ! Et ce phénomène porte un nom : l'**hypermnésie**. Si je vous demande où vous étiez il y a dix ans, tel jour à telle heure, ce que vous faisiez, avec qui, après avoir mangé quoi et que vous êtes capable de me répondre, vous êtes peut-être concerné (pas de panique : un événement particulièrement marquant peut justifier que vous ayez, ponctuellement, une mémoire d'éléphant...). Si, par-dessus le marché, l'agressivité, l'angoisse, la paranoïa, la frigidité (Mesdames), l'impuissance (Messieurs) et les cauchemars à répétition vous sont familiers, il faut consulter car ce sont des symptômes de l'hypermnésie. Elle peut avoir été déclenchée par un choc physique ou émotionnel (comme l'amnésie, soit dit en passant) et nécessite un traitement doublé d'un suivi psychologique.

La mémoire au quotidien

En marge des considérations précédentes sur la nécessité et les moyens d'entretenir une mémoire qui, fatalement, avec le temps, a tendance à s'effriter, il existe mille et une astuces pour éviter pertes de temps et agacements consécutifs aux troubles passagers et bénins. C'est ce que j'appellerai « les instants-mémoire ».

Avez-vous entendu parler de Franklin Roosevelt ? Ça n'est pas qu'une station de métro située sur les Champs-Élysées... C'est aussi un ancien Président américain qui, soit dit en passant, a été élu à quatre reprises, fait unique dans l'histoire des États-Unis. Mais il avait une autre particularité : sa mémoire était exceptionnelle. Il était capable de se rappeler le nom d'une personne qu'il n'avait rencontrée qu'une fois sans aucune difficulté ! Mais quel était donc son secret ? En fait, mis en présence d'inconnus, il visualisait leur nom écrit sur leur front ! Il suffit juste d'y penser et de prendre les cinq secondes nécessaires à l'exercice. Préalablement, il n'est pas inutile de bien regarder la personne qui prononce son nom pour la première fois devant vous. Voire de le lui faire répéter. Voire de le répéter vous-même pour avoir son approbation. Regardez le visage, associez-le au nom. En 15 secondes, enregistrez l'information dans votre mémoire. Ainsi, le tour sera joué.

Prenez-vous des notes au cours d'une réunion ou d'une conférence ? Non ? Vous devriez… Relisez-les peu de temps après, surlignez ce qui vous semble important… Faire ce petit travail vous permettra de mieux retenir ce qui mérite de l'être. Ajoutez des schémas et des éléments visuels : les images vous aident à ancrer les connaissances dans votre mémoire, surtout si vous avez une mémoire visuelle !

Vous avez paumé vos clés ? Posé vos lunettes quelque part ? Oui, mais où ? Vous batifoliez ? Eh bien cherchez, maintenant ! Plus sérieusement, la prochaine fois, parlez-vous à vous-mêmes ! Dites-vous : « Je pose mes clés sur la console de l'entrée. » Ou encore : « Je range mes lunettes dans le premier tiroir de la commode. » Le dire dans votre tête devrait suffire. Mais s'il le faut, dites-le à haute voix. Vous solliciterez votre mémoire auditive. Le cerveau est en effet organisé de telle façon que nous nous souvenons très bien de ce que nous nous sommes raconté. Donc parlez vous : mieux vaut passer pour dingue que devenir chèvre en s'épuisant à chercher !

Vous cherchez votre voiture ? Vous croyez qu'on vous l'a volée ? Avant d'accuser à tort et de composer le 17, dites-vous que c'est la mémoire qui défaille. Pour la simple et bonne raison que vous ne l'avez pas sollicitée en amont. Là encore, prendre sa respiration et répéter : « Je gare ma voiture devant le portail rouge » (si le portail est bleu, adaptez la formule…). Il s'agit une nouvelle fois d'optimiser vos chances de ne pas perdre la boule en prenant le temps d'une pause au moment où vous vous garez. Regardez bien autour de vous, notez certains petits détails comme le nom d'une boutique ou la couleur d'une devanture, lisez le nom de la rue... Vous conserverez de ces observations une image beaucoup plus précise que vous ne l'imaginez car vous aurez pris un cliché mental de l'endroit où vous vous trouvez. En revenant sur place, les pièces du puzzle surgiront des tréfonds de votre mémoire et se remettront en place comme par magie ! Et ne faites que ça ! Pas question de tenter de mémoriser quoi que ce soit tout en répondant au téléphone ou en poursuivant une discussion sur le dernier film dont tout le monde parle. La clé de la mémorisation, c'est l'attention ! Si vous êtes concentré au moment où vous apprenez une nouvelle information, vous avez beaucoup plus de chances de la retenir que si vous êtes en mode multi-tâches, ce qui arrive trop fréquemment dans notre société hyper-connectée où l'on répond à ses SMS tout en étant accaparé par autre chose.

Avez-vous une passion intellectuelle ? Oui ? Alors vous avez pu constater qu'elle faisait fonctionner votre mémoire sans effort. On se souvient plus facilement de ce qu'on apprécie. Non ? Vous devriez... De nombreuses études ont montré que les personnes ayant des passions intellectuelles ont une meilleure mémoire. Stimuler, apprendre, comprendre font fonctionner le cortex et, accessoirement, entretiennent le moral.

Connaissez-vous votre numéro de Sécurité sociale ? Non ? C'est pourtant utile ! Pourquoi ne pas l'apprendre une bonne fois pour toutes par cœur ? Votre capacité à le retenir rapidement vous surprendra, d'autant que les sept premiers chiffres demandent plus de bon sens que de mémoire pure, vu qu'ils se réfèrent à votre sexe et vos date et lieu de naissance. Apprenez aussi par cœur un poème qui vous a marqué, une chanson que vous prenez plaisir à fredonner, voire quelques numéros de téléphone utiles (au cas où vous n'auriez pas votre portable, le pire ennemi de votre mémoire, sous la main). Ces petits exercices stimulent la mémoire immédiate. La répétition est la clé d'une bonne mémorisation, elle permet des connexions stables entre les neurones.

Êtes-vous du genre à procrastiner ? À remettre au lendemain ce que vous pouvez faire le jour même ? Si oui, débarrassez-vous de cette sale habitude. Les tâches en souffrance obstruent la mémoire. Libérez la vôtre en faisant les choses au moment où vous y pensez. Notez que cela ne fera pas du bien qu'à votre mémoire : ça vous fera aussi du bien à vous, car les procrastinateurs sont en général de grands culpabilisateurs. L'un des travers du procrastinateur consiste aussi, une fois qu'il est lancé, à vouloir se débarrasser de toutes les tâches qui l'enquiquinent. Erreur : il pourra alors lui arriver de vouloir faire une chose et de finalement en faire une autre. Et à vouloir faire plusieurs choses à la fois, on sait depuis La Fontaine et ses lièvres qu'on court à l'échec.

Aussi, si vous êtes facilement distrait, choisissez de faire une seule chose et tenez-vous-y ! Refusez les tentations extérieures qui vous détournent de votre idée initiale ! Essayez, ça fait du bien.

Travaillez-vous en musique ? Ça n'est pas forcément une bonne idée. Certaines études ont pointé les effets distrayants (au sens non pascalien du terme) de la musique. Elle diminuerait les performances de l'attention et de la mémorisation. En revanche, la musique classique, si on l'écoute juste avant de travailler, a fait ses preuves : elle apaise et favorise la concentration.

En tenant compte de tous ces « instants-mémoire », vous ne prenez qu'un seul risque : celui d'être un jour sélectionné pour participer aux championnats du monde de la Mémoire ! Car oui, il existe de tels championnats ! Créés en 1991, ils ont lieu chaque année et connaissent un engouement croissant. Au programme, dix disciplines parmi lesquelles la mémorisation d'un poème en 15 minutes, d'un nombre de plusieurs dizaines de chiffres en 30 minutes, du plus grand nombre de visages et de noms en 15 minutes, du plus grand nombre de chiffres séparés par une virgule en 5 minutes, du plus grand nombre de mots donnés aléatoirement en 15 minutes, du plus grand nombre de dates historiques... Essayez de retenir ne serait-ce que dix cartes à la suite, vous comprendrez la difficulté de l'exercice ! À ce petit jeu, un homme surpasse ses contemporains : il s'agit du Britannique Dominic

O'Brien. À 58 ans, il collectionne huit titres mondiaux. Sa performance la plus stupéfiante ? Avoir, en 2002, mémorisé 2 808 cartes à jouer (54 paquets) en ne faisant que huit erreurs ! Perso, je ne me risquerais pas à le défier au black-jack...

Épilogue

Au terme de ce livre, je voudrais citer un homme qui a révolutionné son époque et influencé toutes celles qui ont suivi. Cet homme, immense industriel américain de la première moitié du siècle dernier, s'appelle Henry Ford. Et voici ce qu'il répondit un jour qu'on l'interrogeait sur sa réussite : « Si je n'avais écouté que mes clients, j'aurais essayé d'inventer un cheval plus rapide ». Moyennant quoi, prenant le contre-pied de tous les conseilleurs soucieux de préserver leur cadre de référence et d'en rester à la calèche, il a inventé la Ford T, dont l'avènement a coïncidé avec l'essor spectaculaire de l'automobile.

J'aime la phrase d'Henry Ford (le personnage, lui, n'avait pas que des qualités mais c'est une autre affaire) car elle nous incite à nous élever d'un cran en changeant de braquet, nous invite au changement, stimule notre capacité à penser autrement. « *Think different* », disait d'ailleurs le slogan publicitaire d'Apple, autre entreprise révolutionnaire imaginée par un incontestable visionnaire dont on n'a pas fini d'éprouver les intuitions, feu Steve Jobs.

Rien de grand, rien de durable ne peut être accompli sans une approche innovante qui, en matière de santé, reste à la portée de tout un chacun. Oui, nous pouvons tous innover : il nous suffit juste de le vouloir et de décider de changer de mode de vie. Cette ambition doit s'exprimer au quotidien, par touches successives, sans culpabilité mais avec bon sens, sans anxiété mais avec bienveillance pour soi-même. Vous êtes comme ce tireur qui, dans un stand, se saisit d'une arme de poing et vise la silhouette qui se trouve à 25 mètres. S'il dévie la pointe de son canon de quelques millimètres seulement, à l'arrivée, son projectile finira à deux mètres de la cible ! Or, la cible, c'est votre bien-être, votre santé, votre plaisir de vivre. Et les quelques millimètres qui font la différence, votre capacité à adopter de nouveaux réflexes, vertueux, à rebours de toutes les mauvaises habitudes qui ont pu vous gagner et dans lesquelles vous vous êtes peut-être reconnu au fil des pages qui précèdent. Alors visez juste ! Ne laissez pas la pointe du canon dévier de la bonne trajectoire. Agissez sur chaque portion de millimètre que représente chacun des chapitres de ce livre qui n'a d'autre ambition que de vous accompagner à long terme dans votre démarche.

Je connais vos défauts, ce sont aussi les miens… Et ce livre, c'est l'ami qui nous veut du bien, le pote qui nous connaît par cœur, qui nous prend par l'épaule et nous explique que si l'on fait les choses comme on les a toujours faites, il ne faudra pas s'étonner d'avoir toujours les mêmes résultats. Vous verrez, on s'habitue plus rapidement qu'on le croit au changement, parce que tout ce qui est du ressort du mode de vie s'inscrit dans les gènes et produit des résultats. Je vous le dis parce que j'en suis convaincu, parce que je l'ai expérimenté, parce que j'ai confiance en vous et, sans doute aussi, parce que je vous aime.

Sources

e-sante.fr

Le Magazine de la santé, France 5

« Le bio-business », Laurent Hakim et David da Meda, *Envoyé Spécial*, janvier 2012, France 2

« Les fausses promesses du light », Laurent Dy et Lise Thomas-Richard, *Envoyé Spécial*, avril 2015, France 2

Guérir, David Servan-Schreiber, « Réponses », Robert Laffont, 2003

Terra Eco

Allo-docteurs.fr

60 millions-mag.com (Institut National de la Consommation)

La Bio entre business et projet de société, sous la direction de Philippe Baqué, « Contre-Feux », Argone, 2012

« La qualité des produits de l'agriculture biologique et le PNNS », Denis Lairon, étude de l'Inserm

Inra.fr (Institut national de la recherche agronomique)
Journal of Agricultural and Food Chemistry
Les Pubs que vous ne verrez plus jamais, Anne Pastor, Hugo Desinge, 2012-2015

Remerciements

Sylvie Delassus, Capucine Ruat, Amélie Bastide, Isabelle Doumenc, Paul-Louis Belletante, Christophe Brun.

Table

I. LES ALIMENTS BONS POUR LA SANTÉ

II. LES BONNES HABITUDES

III. LE COIN DES SPORTIFS

IV. LES CONSEILS POUR GARDER LA FORME

Cet ouvrage a été composé
par Nord Compo à Villeneuve-d'Ascq (Nord)
et achevé d'imprimer en France
par CPI Bussière
à Saint-Amand-Montrond (Cher)
pour le compte des Éditions Stock
31, rue de Fleurus, 75006 Paris
en janvier 2016

Stock s'engage pour l'environnement en reduisant l'empreinte carbone de ses livres. Celle de cet exemplaire est de : 900 g éq CO_2
Rendez-vous sur www.editions-stock-durable.fr

Imprimé en France

Dépôt légal : février 2016
N° d'édition : 01 – N° d'impression : 2020385
22-07-7957/2